en
attendant
bébé...

en attendant bébé...

Comment survivre à 9 longs mois

Carley Roney
et les éditeurs de The Bump

hachette
PRATIQUE

Édition originale publiée aux États-Unis en 2010
par Chronicle Books LLC sous le titre *The Baby
Bump : 100s of secrets to surviving those 9 long
months*
Copyright © 2010 The Knot Inc.
Chronicle Books LLC
680 Second Street
San Francisco, CA 94107
USA

Conception graphique :
Liza Aelion, Kelly Crook, Dawn Camner
Photographies de couverture : Veer

Édition française © Hachette Livre
(Hachette Pratique), 2011
Traduction : Anne-Marie Naboudet-Martin
Révision : Anne Cogos
Relecture : Sandra Oliveira
Mise en pages : Patrick Leleux
L'éditeur remercie Claire Fontanieu pour son aide
précieuse

Imprimé en Chine
Dépôt légal : janvier 2011
ISBN : 978-2-01-230259-4
23-28-0259-01-4

Sommaire

Le développement du bébé semaine après semaine

maman à 1 semaine de grossesse

5ᵉ semaine →
Les principaux organes commencent à se former : cœur, reins, foie, systèmes nerveux, circulatoire et digestif.

6ᵉ semaine
Le sang commence à circuler. Les yeux, les oreilles, le nez, les joues et le menton s'ébauchent.

7ᵉ semaine →
Les articulations se forment et, avec elles, les bras et les jambes.

24ᵉ semaine →
À mesure que la graisse s'accumule, la peau s'opacifie. Les petits vaisseaux sanguins (capillaires) lui donnent une teinte rosée.

22ᵉ semaine ←
Le fœtus passe la majorité de son temps à dormir. Son sommeil commence à suivre des cycles.

20ᵉ semaine
Le fœtus avale du liquide amniotique et en rejette une partie en urinant. Ses papilles gustatives fonctionnent.

26ᵉ semaine →
Le système immunitaire se développe, notamment par le biais des anticorps maternels : le bébé se prépare à affronter le monde extérieur.

28ᵉ semaine
La peau est toujours très plissée, mais elle va se lisser avec les réserves progressives de graisse.

31ᵉ semaine →
Le cerveau et le système nerveux sont en maturation. L'iris des yeux réagit à la lumière et les cinq sens sont opérationnels.

8ᵉ semaine
Le tronc se redresse peu à peu et l'embryon peut bouger les bras et les jambes, ainsi que les doigts et les orteils (légèrement palmés).

9ᵉ semaine →
L'embryon prend désormais le nom de fœtus. Les battements de son cœur sont perçus grâce à un appareil à ultrasons (Doppler fœtal).

10ᵉ semaine
À mesure que les os et le cartilage se forment, les articulations des membres vont devenir opérationnelles. Les organes vitaux sont prêts à fonctionner.

18ᵉ semaine ←
Le fœtus devient très actif : il bâille, il a le hoquet, il remue et donne des coups de pied et de poing, il tète et déglutit.

16ᵉ semaine
Des os minuscules se forment au niveau des oreilles et des sourcils. On commence à distinguer les cils et un duvet sur la peau.

13ᵉ semaine
Les intestins se déplacent du cordon ombilical vers la cavité abdominale. Les dents et les cordes vocales se développent.

34ᵉ semaine
Le fœtus réagit aux sons. Après la naissance, les bébés pourraient même se souvenir de mélodies simples entendues pendant la gestation.

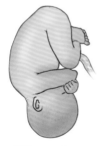

37ᵉ semaine →
Le bébé prend 15 à 25 grammes par jour. Ses premières selles (une substance appelée méconium) se forment dans les intestins.

39ᵉ semaine
Le cerveau continue à se développer. Le bébé peut replier ses membres. Ses ongles commencent à être longs.

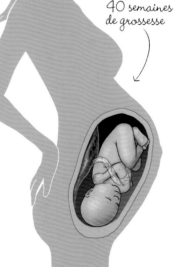

maman à 40 semaines de grossesse

Chapitre 1

premier

Je suis enceinte !

mois

Vous vous en doutiez, car vous n'avez pas eu vos dernières règles. En général, un ovule fécondable est produit chaque mois (12 à 16 jours après le début des règles). Il vit 24 heures environ, durant lesquelles il franchit la trompe de Fallope qui le sépare de l'utérus. Si vous avez un rapport dans les jours qui précèdent l'ovulation (les spermatozoïdes peuvent survivre entre 3 et 5 jours) ou au moment de l'ovulation, la fécondation peut avoir lieu : un spermatozoïde et l'ovule fusionnent et mettent en commun leur matériel génétique. Félicitations : vous êtes enceinte !

Pense-bête

- Faire un test de grossesse.

- Prendre rendez-vous chez le gynécologue.

- Veiller à manger plus équilibré.

Calculez le terme de votre grossesse : voir page 18.

mot à maux…

" **JE N'ARRÊTE PAS DE FAIRE PIPI !
UNE DIZAINE DE FOIS DANS
LA JOURNÉE, SI CE N'EST PLUS !**

J'ai la nausée dès le matin.

mes
seins
me font
mal.

**JE ME SENS
GONFLÉE COM-
ME SI J'ALLAIS
AVOIR MES RÈ-
GLES.**

**Euh… j'aurais dû avoir mes
règles jeudi dernier, non ?**

Rien que l'idée de manger me révulse.

Test de grossesse – Y'A UNE LIGNE !

**JE SUIS
ÉPUISÉE !**

Je crois que
je vais mordre
quelqu'un. "

Vos questions...

▌ Suis-je enceinte ?

« Quels sont les différents types de tests de grossesse ? Lequel choisir ? »

Il existe de nombreuses marques de tests de grossesse, dont le prix varie de 8 à 15 €. Toutes testent la même chose : le taux d'hCG (hormone chorionique gonadotrophine). Le principe est simple : une fois que l'ovule est fécondé, qu'il franchit la trompe de Fallope pour atteindre l'utérus où il fait son nid (on dit qu'il s'implante) dans la paroi utérine, le placenta commence à secréter de l'hCG. Cette hormone passe dans le sang et dans les urines. Et c'est cette présence dans les urines que les tests de grossesse vont détecter. Ce qui différencie les modèles de tests proposés, c'est la manière dont les urines sont prélevées et le mode d'affichage du résultat.

Il est gros comment ?

3e SEMAINE
Une graine de pavot

LES BÂTONNETS Ce sont les modèles les plus courants. Ils sont constitués d'un bâtonnet en plastique muni d'une fenêtre d'affichage et d'une tige absorbante : ôtez le capuchon (ou faites coulisser une languette) et urinez pendant quelques secondes sur la tige, puis attendez que le résultat s'affiche. Généralement c'est une ligne, un signe (+ ou -) ou une couleur particulière qui apparaissent. Pour en savoir plus, lisez le mode d'emploi que vous trouverez à l'intérieur de l'emballage. Respectez le temps d'attente indiqué, puis revenez au bout du délai mentionné.

LES BÂTONNETS À AFFICHAGE DIGITAL Ils coûtent plus cher, mais ils ont le mérite d'être clairs. Vous urinez sur la tige et, au bout de quelques minutes, les mots « ENCEINTE » ou « PAS ENCEINTE » s'affichent sur un petit écran avec, souvent, une estimation de l'âge de la grossesse (temps écoulé depuis la conception en semaines).

LES BANDELETTES Après avoir fait pipi dans un gobelet, vous trempez une bandelette dans l'urine, puis vous la posez à plat. Là aussi, lisez le mode d'emploi pour savoir combien de temps vous devez attendre et à quoi ressemble le signe qui vous confirmera la bonne nouvelle.

Quel que soit le test choisi, l'idéal est de recueillir vos premières urines du matin, au moins une semaine après la date à laquelle vous auriez dû avoir vos règles.

« Quelle est la probabilité que le test affiche à tort un résultat positif ? »

Les tests urinaires présentent une très bonne fiabilité : si vous avez bien respecté le mode d'emploi, si vous avez attendu le temps indiqué avant de lire le résultat et que le résultat est positif, alors la probabilité que vous ne soyez pas enceinte est vraiment faible.

Cela ne veut pas dire qu'il n'y a jamais d'erreurs. D'abord, le résultat peut être négatif alors même qu'une grossesse a débuté ; cela peut arriver si vous faites le test trop tôt. Ensuite, des faux positifs sont malgré tout possibles dans certains cas. Si vous avez fait une fausse-couche ou subi un avortement au cours des 8 semaines précédentes, si vous avez pris un traitement contre la stérilité contenant de l'hCG ou si vous souffrez d'une tumeur qui secrète cette hormone, cette dernière peut se retrouver dans vos urines sans que vous soyez enceinte. Il peut aussi arriver que le test soit défectueux ou qu'il affiche des résultats inexacts une fois sa date de validité expirée (si vous avez un doute et que vous refaites un test, changez de marque).

Un test positif peut aussi devenir négatif en raison d'une fausse couche précoce. L'ovule fécondé est parvenu dans l'utérus et a suffisamment grossi pour secréter de l'hCG, mais il a ensuite cessé de se développer (généralement à cause d'un problème de chromosomes). Ces fausses couches très précoces, parfois appelées grossesses biochimiques, sont extrêmement courantes (elles concerneraient plus de 30 % des fécondations), mais la plupart des femmes ne s'en aperçoivent même pas. Si cela vous arrive, vous aurez vos règles comme d'habitude (elles seront peut-être un peu plus abondantes et retardées d'un jour ou deux). Autre possibilité : ce que vous avez vu est une « barre d'évaporation » et non un résultat positif. Lorsque vous examinez la bandelette de très près, vous voyez apparaître une ligne grisâtre ou une sorte de creux et non une ligne colorée (en général rose ou bleue), signe que l'hCG a été détectée. Or, si la ligne n'a pas la couleur mentionnée sur la notice, le résultat n'est pas positif. De même, si une ligne – quelle que soit la

couleur – apparaît une fois le délai expiré (de 5 à 10 minutes en général), le résultat ne compte pas non plus. Et vous en êtes quitte pour une fausse joie.

« La ligne qui indique que le test est positif est très pâle. Qu'est-ce que cela signifie ? »

Cela ne signifie en aucun cas que vous êtes « un peu enceinte ». Les tests de grossesse se contentent de détecter la présence d'hCG dans l'urine, mais ils ne disent pas dans quelle quantité. Autrement dit, si la ligne a la couleur qu'elle devrait avoir, peu importe que cette couleur soit pâle ou foncée. Vous êtes enceinte. Ne vous cassez pas la tête à essayer d'interpréter le résultat parce que vous trouvez que la couleur de la ligne n'est pas assez vive.

> « Pour celles qui veulent faire un test chez elles, je conseille plutôt les modèles à affichage digital. Pas d'erreur de lecture possible et pas besoin de mettre le bâtonnet sous différents éclairages pour bien voir la ligne ».

« Combien de temps devons-nous attendre avant d'annoncer la nouvelle à notre famille et à nos amis ? »

C'est à vous d'en décider. Certains couples préfèrent attendre que les battements cardiaques soient visibles à l'échographie (à partir de 6-8 semaines) ou audibles au Doppler fœtal (à partir de 9-12 semaines), ou bien que le premier trimestre soit passé (12 semaines), car le risque de fausse couche est ensuite beaucoup moins important. D'autres préfèrent l'annoncer à leurs proches dès qu'ils connaissent le résultat du test, en se disant que les personnes à qui ils le disent pourront les soutenir si les choses tournaient mal.

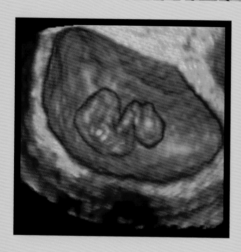

Bébé se développe

- L'œuf se divise en cellules identiques (qui se divisent ensuite à leur tour).
- Il se fixe dans la paroi utérine.
- L'embryon et le placenta se différencient.
- Le liquide amniotique et la poche des eaux (cavité qui contient le liquide) apparaissent.
- L'embryon prend la forme d'un minuscule têtard.

▌Chez le gynécologue

« À quelle date mon bébé doit-il naître ? »
Les médecins calculent cette date à partir du premier jour des dernières règles, en y ajoutant 40 semaines. Ils tiennent compte des deux semaines qui se sont écoulées avant que vous ne soyez enceinte. Pourquoi ne pas compter à partir du jour de la conception ? Parce qu'il n'est pas toujours facile de connaître cette date avec précision même si on peut l'estimer à partir de la période d'ovulation, qui se situe autour du 14e jour du dernier cycle.

Par conséquent, quand vous dites que vous « êtes enceinte de 4 semaines », votre bébé n'a en fait que 2 semaines. Cet âge réel du bébé est parfois appelé « âge gestationnel ». Voir page 18.

« Comment savoir dans quelle semaine je me trouve ? »
Le jour de vos 30 ans, vous achevez votre 30e année et vous entrez dans votre 31e année. Par conséquent, à 8 semaines, vous commencez votre 9e semaine.

« À quelle fréquence dois-je consulter mon gynécologue ? »
Vous pouvez l'appeler dès que vous avez le résultat de votre test de grossesse. La première consultation doit avoir lieu avant la fin du premier trimestre. Elle permet au médecin de dresser un bilan de votre santé et de confirmer votre grossesse. Des analyses de laboratoire sont prescrites et une première échographie est programmée. C'est au cours de cette consultation que le médecin remplira votre déclaration de grossesse.

Si votre grossesse est considérée à risque (vous avez fait plusieurs fausses couches précoces ou souffrez d'une maladie chronique nécessitant des soins particuliers), votre gynécologue voudra vous voir très tôt pour vous surveiller de près.

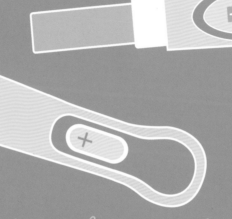

« Que dois-je faire maintenant que je sais que je suis enceinte ? »

Surtout, pas d'affolement ! L'heure est aux réjouissances. Si le futur papa n'était pas avec vous quand vous avez découvert le résultat du test, annoncez-lui la grande nouvelle et laissez-vous (à tous les deux) le temps de la digérer. Si vous ne prenez pas encore de suppléments d'acide folique, c'est le moment de commencer (votre médecin vous en prescrira). On sait que la prise de vitamine B9 (acide folique) avant la conception et pendant la grossesse diminue le risque de malformations du système nerveux (spina-bifida, notamment). Appelez votre gynécologue pour prendre un rendez-vous : la première consultation doit avoir lieu avant la 12e semaine, mais certains praticiens en prévoient deux, une autour de la 6e semaine et l'autre vers le 3e mois. Prenez soin de vous : mangez équilibré, buvez beaucoup d'eau, reposez-vous tout en restant active.

Après la consultation du premier trimestre, le rythme des visites devient mensuel : le suivi classique d'une grossesse comprend sept consultations prénatales, plus une après l'accouchement. Ce suivi peut être fait en ville ou à l'hôpital, il peut être assuré par un médecin généraliste, un gynécologue ou une sage-femme. Les rendez-vous peuvent être plus fréquents si la grossesse est jugée à risque et selon votre état de santé et celui du bébé.

Vos préoccupations

« Si je fais une fausse couche, comment m'en apercevrai-je ? »

Votre inquiétude n'a rien d'anormal, mais dites-vous bien que la majorité des grossesses aboutissent à la naissance d'un beau bébé en bonne santé. Si vous faites malheureusement une fausse couche, le premier signe consiste en des saignements vaginaux (qui peuvent néanmoins avoir une autre origine, alors ne paniquez pas et appelez votre gynécologue). Ces saignements peuvent s'accompagner d'autres symptômes, comme des contractions au niveau du bas-ventre ou des douleurs abdominales et lombaires.

« Est-ce que j'attends des jumeaux ? Comment le savoir ? »

Vous vous demandez si votre futur bébé est vraiment tout seul dans votre ventre ? La probabilité est plus grande s'il y a des antécédents de jumeaux (vrais ou faux) dans votre famille, si vous avez plus de 30 ans ou si vous avez suivi un traitement contre la stérilité. Plusieurs éléments peuvent guider votre gynécologue :

- vous prenez du poids très vite et très tôt ;
- votre utérus est plus grand que la normale ;
- vos nausées matinales sont particulièrement marquées ;
- le Doppler détecte plusieurs pulsations cardiaques simultanées ;
- votre taux de marqueurs sériques est anormalement élevé.

En cas de doute, votre gynécologue vous prescrira une échographie pour confirmer la présence de plusieurs bébés. C'est le seul moyen d'en être vraiment certain.

« Quelle est la différence entre vrais et faux jumeaux ? »

Dans le cas des vrais jumeaux, un seul œuf est fécondé. Il se divise ensuite en deux zygotes, dont chacun devient un bébé. Les enfants sont identiques : ils ont le même capital génétique, sont du même sexe et se ressemblent parfaitement. Ils partagent généralement le même placenta.

Les faux jumeaux sont plus fréquents. Ils proviennent de deux ovules fécondés par deux spermatozoïdes. Ils ont chacun leur placenta, peuvent être de sexe différent et ne se ressemblent pas plus que des frères et sœurs non jumeaux.

« Et les triplés et autres naissances multiples ? »

Ils peuvent provenir d'un seul ovule fécondé qui s'est ensuite divisé ou de plusieurs ovules fécondés. Il arrive aussi (mais rarement !) que ces deux processus soient associés (autrement dit, si vous attendez des sextuplés, certains peuvent être des vrais « jumeaux », et d'autres des faux).

À quelle date allez-vous accoucher ?

Vous ne pouvez pas savoir avec certitude quel jour vous allez accoucher.
Mais vous pouvez tout de même connaître la date théorique de votre accouchement :
repérez sur le tableau la date du début de vos dernières règles (DDR) et regardez la date
prévue d'accouchement (DPA) qui est inscrite juste au-dessous.

DDR janv. / DPA oct./nov.

1	2	3	4	5	6	7	8	9	10	11	12	13	14	15	16	17	18	19	20	21	22	23	24	25	26	27	28	29	30	31
8	9	10	11	12	13	14	15	16	17	18	19	20	21	22	23	24	25	26	27	28	29	30	31	1	2	3	4	5	6	7

DDR févr. / DPA nov./déc.

1	2	3	4	5	6	7	8	9	10	11	12	13	14	15	16	17	18	19	20	21	22	23	24	25	26	27	28
8	9	10	11	12	13	14	15	16	17	18	19	20	21	22	23	24	25	26	27	28	29	30	1	2	3	4	5

DDR mars / DPA déc./janv.

1	2	3	4	5	6	7	8	9	10	11	12	13	14	15	16	17	18	19	20	21	22	23	24	25	26	27	28	29	30	31
8	9	10	11	12	13	14	15	16	17	18	19	20	21	22	23	24	25	26	27	28	29	30	31	1	2	3	4	5	6	7

DDR avr. / DPA janv./févr.

1	2	3	4	5	6	7	8	9	10	11	12	13	14	15	16	17	18	19	20	21	22	23	24	25	26	27	28	29	30
8	9	10	11	12	13	14	15	16	17	18	19	20	21	22	23	24	25	26	27	28	29	30	31	1	2	3	4	5	6

DDR mai / DPA févr./mars

1	2	3	4	5	6	7	8	9	10	11	12	13	14	15	16	17	18	19	20	21	22	23	24	25	26	27	28	29	30	31
8	9	10	11	12	13	14	15	16	17	18	19	20	21	22	23	24	25	26	27	28	1	2	3	4	5	6	7	8	9	10

DDR juin / DPA mars/avr.

1	2	3	4	5	6	7	8	9	10	11	12	13	14	15	16	17	18	19	20	21	22	23	24	25	26	27	28	29	30
8	9	10	11	12	13	14	15	16	17	18	19	20	21	22	23	24	25	26	27	28	29	30	31	1	2	3	4	5	6

DDR juill. / DPA avr./mai

1	2	3	4	5	6	7	8	9	10	11	12	13	14	15	16	17	18	19	20	21	22	23	24	25	26	27	28	29	30	31
8	9	10	11	12	13	14	15	16	17	18	19	20	21	22	23	24	25	26	27	28	29	30	1	2	3	4	5	6	7	8

DDR août / DPA mai/juin

1	2	3	4	5	6	7	8	9	10	11	12	13	14	15	16	17	18	19	20	21	22	23	24	25	26	27	28	29	30	31
8	9	10	11	12	13	14	15	16	17	18	19	20	21	22	23	24	25	26	27	28	29	30	31	1	2	3	4	5	6	7

DDR sept. / DPA juin/juill.

1	2	3	4	5	6	7	8	9	10	11	12	13	14	15	16	17	18	19	20	21	22	23	24	25	26	27	28	29	30
8	9	10	11	12	13	14	15	16	17	18	19	20	21	22	23	24	25	26	27	28	29	30	1	2	3	4	5	6	7

DDR oct. / DPA juill./août

1	2	3	4	5	6	7	8	9	10	11	12	13	14	15	16	17	18	19	20	21	22	23	24	25	26	27	28	29	30	31
8	9	10	11	12	13	14	15	16	17	18	19	20	21	22	23	24	25	26	27	28	29	30	31	1	2	3	4	5	6	7

DDR nov. / DPA août/sept.

1	2	3	4	5	6	7	8	9	10	11	12	13	14	15	16	17	18	19	20	21	22	23	24	25	26	27	28	29	30
8	9	10	11	12	13	14	15	16	17	18	19	20	21	22	23	24	25	26	27	28	29	30	31	1	2	3	4	5	6

DDR déc. / DPA sept./oct.

1	2	3	4	5	6	7	8	9	10	11	12	13	14	15	16	17	18	19	20	21	22	23	24	25	26	27	28	29	30	31
8	9	10	11	12	13	14	15	16	17	18	19	20	21	22	23	24	25	26	27	28	29	30	31	1	2	3	4	5	6	7	8

Est-ce normal ?

« Est-ce normal de ne pas se sentir prête ? »

Oui. En fait, ce qui serait bizarre, c'est que vous vous sentiez parfaitement prête. Être parent, ce n'est pas rien. Respirez un bon coup, détendez-vous et dites-vous que vous n'êtes ni la première ni la dernière à vivre cela. Votre vie va être bouleversée, mais tout se passera bien.

« Je n'arrive plus à dormir ! Est-ce le fait d'être enceinte ? »

Certainement. Entre l'excitation, le choc émotionnel et les bouleversements hormonaux, il n'y a rien d'étonnant à ce que vous ayez du mal à dormir (beaucoup de femmes s'en plaignent dès les premières semaines de leur grossesse). Il n'y a pas de remède miracle, mais vous pouvez essayer de modifier un peu l'environnement dans lequel vous dormez. Commencez par vous plonger dans l'obscurité : installez des rideaux, doubles rideaux ou stores occultants si votre chambre laisse passer la lumière du jour (si vous préférez une solution provisoire, fixez des grands sacs poubelle noirs sur la fenêtre avec du ruban adhésif : c'est moche, mais c'est efficace). Baissez le chauffage dans la pièce ou arrêtez-le la nuit pour aider votre métabolisme à ralentir et faciliter ainsi l'endormissement. La température idéale est de 20-22 °C.

DÉBAT
arrêter les antidépresseurs ou pas ?

Mieux vaut ne pas interrompre un traitement

« On ne conseille jamais à une personne cardiaque d'interrompre son traitement, mais, étrangement, on considère souvent que la prise d'antidépresseurs est plus ou moins facultative. Si votre médecin estime que vous devez continuer à prendre vos médicaments car le risque de rechute est important, suivez son conseil. La probabilité que le bébé souffre d'un syndrome de sevrage est faible ; le cas échéant, les symptômes sont généralement modérés et peuvent être traités. »
Dr Gail Robinson

Poursuivre un traitement comporte des risques

« Une étude récente souligne que les nouveau-nés dont les mères ont pris des antidépresseurs pendant la grossesse souffrent davantage de détresse respiratoire et de difficultés à s'alimenter, et que leur poids de naissance est faible, en partie à cause du syndrome de sevrage. L'usage d'antidépresseurs au cours du premier trimestre de la grossesse pourrait aussi entraîner un risque accru de fausses couches et de malformations. »
Dr Kathleen Kendall-Tackett

« Est-ce que je dois m'inquiéter si j'ai des contractions ? »

Au début de la grossesse, beaucoup de femmes ressentent des contractions qui ressemblent à des douleurs de règles. Tant qu'elles restent modérées, on peut penser que tout va bien. Si elles sont importantes, qu'elles s'accompagnent de saignements et qu'elles durent plus de deux jours, appelez votre gynécologue.

« J'ai des petits saignements. Est-ce un souci ? »

Des saignements légers (appelés *spottings*) peuvent survenir dans les deux semaines qui suivent la conception. Ils peuvent être dus au fait que l'ovule fécondé commence sa nidification dans la paroi utérine. Le phénomène dure alors de quelques heures à quelques jours. Autre explication possible : dans la mesure où le col de l'utérus est très sensible à cette période, vous pouvez saigner légèrement après un rapport sexuel. Si c'est le cas, parlez-en avec votre gynécologue avant d'avoir un nouveau rapport. Il s'agit d'une mesure de précaution car les rapports sexuels ne présentent normalement aucun danger : il n'y a pas de raison d'y renoncer juste parce que vous êtes enceinte. Les saignements peuvent aussi être le symptôme d'une infection génitale ou urinaire. Ils peuvent en outre simplement s'expliquer par un afflux de sang plus important vers le col de l'utérus.

Il n'y a sans doute pas de raison de vous inquiéter, mais parlez-en à votre gynécologue car ces saignements sont parfois un signe de fausse couche, de grossesse extra-utérine ou de grossesse môlaire (anomalie rare et précoce de l'ovule fécondé).

▌ Est-ce dangereux ?

« Est-ce grave si j'ai bu un peu d'alcool avant de savoir que j'étais enceinte ? »

Beaucoup de femmes sont passées par là et ont eu des bébés en bonne santé ! Cependant, mieux vaut renoncer à l'alcool pendant toute la durée de votre grossesse. Une consommation excessive peut se traduire chez le bébé par un syndrome dit « d'alcoolisme fœtal » à l'origine d'anomalies faciales, d'un retard de croissance et d'un retard mental. L'alcool est également toxique à faible dose pour l'embryon et le fœtus.

« J'ai entendu dire que je devais éviter de nettoyer la litière du chat. »

Au début de la grossesse, votre gynécologue vous prescrira une prise de sang pour vérifier votre immunité vis-à-vis d'une maladie parasitaire, la toxoplasmose. Si vous n'êtes pas immunisée, vous devrez prendre certaines précautions pour ne pas contracter cette infection qui peut traverser la barrière placentaire et se transmettre au fœtus avec des conséquences graves.

Les chats sont porteurs du parasite *Toxoplasma gondii* et le rejettent dans leurs excréments. Si vous avez un chat, confiez-le à un proche pendant la durée de votre grossesse, demandez à votre compagnon de s'en occuper ou, si vous n'avez pas d'autres solutions, mettez des gants épais pour le manipuler ou changer sa litière. Sachez que le parasite est également présent dans la terre et la viande crue : lavez-vous bien les mains après avoir jardiné ou touché de la viande et renoncez temporairement à la viande crue ou saignante.

Comment bien s'alimenter pour couvrir les besoins du bébé ?

Une grossesse élève un peu les besoins caloriques (d'environ 300 calories par jour), mais elle exige surtout un bon équilibre alimentaire, avec assez de vitamines et de minéraux.

Zinc

COMBIEN ? environ 14 mg/j
POURQUOI ? Le zinc est indispensable à des centaines de fonctions dans l'organisme.
OÙ ? Les fruits de mer, la viande, la volaille, certains poissons, végétaux (légumes secs, champignons, céréales complètes...) ; le zinc d'origine végétale est moins bien assimilé.

Acide folique (vitamine B9)

COMBIEN ? 400 µg/j
POURQUOI ? Une carence élève le risque de malformation congénitale. Augmentez vos apports.
OÙ ? Les épinards, les salades vertes, les choux, l'asperge, les légumineuses, le jaune d'œuf...

Bêtacarotène

COMBIEN ? 700 µg/j
POURQUOI ? Bon pour la peau et la vue, les défenses immunitaires ; indispensable au développement des cellules et à l'expression des gènes.
OÙ ? La carotte, l'abricot, le melon, la mangue, le potiron ou la patate douce.

Calcium

COMBIEN ? 1 000 mg/j
POURQUOI ? Limite le risque d'hypertension et d'accouchement prématuré.
OÙ ? Les laitages sont notre première source de calcium.

Protéines

COMBIEN ? 60 g/j (pour une femme de 60 kg)
POURQUOI ? Les protéines sont les principaux composants de nos cellules.
OÙ ? La viande, le poisson, les œufs. N'abusez pas des aliments protéiques gras (hamburgers, par exemple).

DHA

COMBIEN ? ANC 250 mg/j
POURQUOI ? Le DHA est un acide gras de la famille des oméga 3. Il est indispensable à la structure et au fonctionnement du cerveau.
OÙ ? Les poissons gras (saumon, sardine, maquereau...).

Fer

COMBIEN ? 25 à 35 mg/j
POURQUOI ? Une carence en fer peut affecter la croissance du bébé. Les besoins sont augmentés pendant la grossesse.
OÙ ? Le boudin, la viande et l'œuf, les céréales enrichies du petit déjeuner.

Vitamine D

COMBIEN ? 10 µg/j
POURQUOI ? Permet l'assimilation du calcium et donc la formation des os, du cartilage et des dents.
OÙ ? Les poissons gras mais aussi le jaune d'œuf et les laits enrichis.

▌Au quotidien

« À partir de quand ma grossesse se verra-t-elle ? »

Il n'y a pas de règle. Les premiers mois, l'embryon (puis le fœtus) est tellement minuscule que personne ne remarquera que vous êtes enceinte. Si c'est votre première grossesse, il s'écoulera un moment avant que des gens qui ignorent votre état vous demandent : « c'est pour quand ? ». En revanche, lors des grossesses suivantes, votre ventre s'arrondira beaucoup plus vite.

Vers 12 semaines, quand le haut de l'utérus a grossi et dépasse de la cavité pelvienne, vous constaterez un changement de silhouette... C'est le moment de chercher une garde-robe adaptée.

« Mon gynécologue m'a prescrit des suppléments d'acide folique. J'oublie parfois de les prendre. Est-ce embêtant ? »

Cet apport supplémentaire en acide folique ou en d'autres micronutriments comme le fer, le calcium ou la vitamine D (selon l'avis de votre médecin) est nécessaire car les besoins, plus importants pendant la grossesse, ne peuvent pas toujours être couverts par l'alimentation. Posez la ou les boîte(s) à côté de votre brosse à dents : si vous oubliez de prendre votre comprimé le matin, vous avez une seconde chance d'y penser le soir.

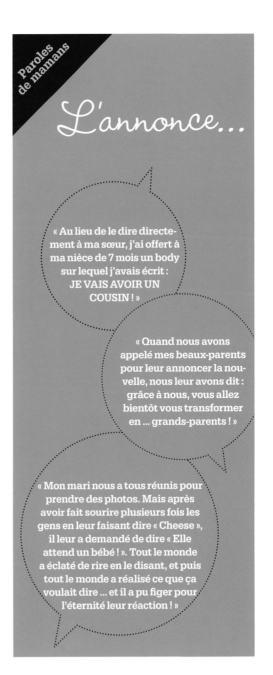

Paroles de mamans

L'annonce...

« Au lieu de le dire directement à ma sœur, j'ai offert à ma nièce de 7 mois un body sur lequel j'avais écrit : JE VAIS AVOIR UN COUSIN ! »

« Quand nous avons appelé mes beaux-parents pour leur annoncer la nouvelle, nous leur avons dit : grâce à nous, vous allez bientôt vous transformer en ... grands-parents ! »

« Mon mari nous a tous réunis pour prendre des photos. Mais après avoir fait sourire plusieurs fois les gens en leur faisant dire « Cheese », il leur a demandé de dire « Elle attend un bébé ! ». Tout le monde a éclaté de rire en le disant, et puis tout le monde a réalisé ce que ça voulait dire ... et il a pu figer pour l'éternité leur réaction ! »

1er mois

Quels compléments prendre pendant la grossesse ?

En dehors de l'acide folique (vitamine B9), systématiquement prescrit lors d'une grossesse, l'administration de compléments de vitamines ou de sels minéraux dépend de l'appréciation de chaque médecin. Des examens peuvent ainsi révéler des carences nécessitant la prise de micronutriments précis (plutôt que de compléments multivitaminés non spécifiques).

Ne prenez pas de vitamines ou de minéraux sans avis médical

Acide folique
Un supplément est prescrit car cette vitamine (B9) prévient le risque de spina bifida et d'autres malformations du système nerveux.

Fer
Un supplément est souvent recommandé car le besoin en fer s'élève tout au long de la grossesse.

Calcium
Certains médecins recommandent un supplément de calcium.

Vitamine D
Un complément est parfois conseillé, surtout au 3e trimestre.

Vitamine B6
Parfois prescrite pour soulager les nausées ou les crampes aux mollets.

Vitamine B12
Des compléments peuvent être recommandés, chez les végétariennes notamment, car les principales sources de vitamine B12 sont les aliments d'origine animale.

Vitamine C
Certains médecins conseillent des compléments, mais l'augmentation des besoins peut aisément être couverte par l'alimentation (fruits et légumes).

Chapitre 2

deuxième

Haut les cœurs !

mois

Même si cela ne fait pas longtemps que vous avez appris la bonne nouvelle, vous avez déjà un mois de grossesse derrière vous ! Cette première période a sans doute été très spéciale pour vous. Essayez de garder l'enthousiasme des premières semaines – ce ne sera pas superflu quand vous commencerez à vous sentir un peu moins bien… c'est-à-dire maintenant. Si tout vous agace, que vous tombez de sommeil au bureau ou que vous vous sentez nauséeuse en permanence, pensez à une seule chose : VOUS ATTENDEZ UN BÉBÉ ! Cela vous remontera le moral dans les moments d'épuisement où vous sentez que vous pourriez facile-ment craquer…

Pense-bête

- Se renseigner sur ce que l'on a le droit de faire ou non.

- Prendre rendez-vous chez le gynécologue pour le premier exa-men prénatal.

- Programmer l'écho-graphie du premier trimestre.

mot à maux...

**UN RIEN M'AGA-CE.
UN RIEN ME FAIT PLEURER.**

Je continue d'avoir souvent besoin de faire pipi.

les aréoles de mes seins sont plus sombres et gonflées.

J'AI UN SECRET !

JE N'ARRIVE PLUS À ATTACHER LES BOUTONS DE MES CHEMISIERS !

Aïe ! J'ai des brûlures d'estomac !

ENVIES !!!

Je flotte sur un petit nuage.

MOI QUI DORMAIS SI BIEN AVANT !

Mes seins vont exploser !

Je suis ballonnée et constipée !

JE SUIS É-PUI-SÉE.

Je crois que je vais vomir.

Vos questions...

▌Chez le gynécologue

« Que va-t-il se passer lors de mon premier rendez-vous chez le gynécologue ? »

La première visite, qui doit avoir lieu avant la fin du 1ᵉʳ trimestre, est importante. Vous allez devoir exposer vos antécédents médicaux au médecin, ainsi que ceux de votre famille et de votre partenaire (demandez-lui de venir avec vous). Le médecin vous fera des recommandations quant aux changements de mode de vie que la grossesse implique, y compris les interdits.

Ensuite, il vous examinera (pression artérielle, examen gynécologique, palpation des seins et de l'abdomen...), procèdera à

accord), de rechercher votre immunité vis-à-vis de la rubéole et de la toxoplasmose, des infections normalement bénignes, mais à l'origine de graves malformations chez l'enfant. D'autres examens peuvent être indiqués selon vos antécédents médicaux, votre état de santé.

ÉCHOGRAPHIE La première échographie a lieu autour de la 12ᵉ semaine d'aménorrhée (absence de règles).

Enfin, le médecin établira votre déclaration de grossesse (un formulaire qui vous permet d'être prise en charge par l'assurance maternité) et vous fixerez la date de la consultation suivante. En général, une visite est prévue tous les mois à partir du 4ᵉ mois.

Il est gros comment ?

5ᵉ SEMAINE	6ᵉ SEMAINE	7ᵉ SEMAINE	8ᵉ SEMAINE
Pépin de pomme	Petit pois	Myrtille	Framboise

un frottis cervical si vous n'êtes pas à jour et vous demandera de vous peser. Il vous donnera une date d'accouchement probable (vous avez bien lu : probable !).

Différents examens sont prescrits à l'issue de cette première consultation.

EXAMENS SANGUINS L'objectif est de rechercher votre groupe sanguin avec votre facteur Rhésus (si vous n'avez pas déjà une carte), de dépister la syphilis et le VIH (avec votre

« Qu'est-ce qu'une échographie précoce ? »

Trois échographies sont obligatoires pendant la grossesse, une à chaque trimestre. Mais un examen supplémentaire peut être pratiqué au tout début, pour confirmer la présence d'un embryon ou vérifier que son implantation est normale, par exemple. Le praticien utilise généralement une sonde vaginale. Les ultrasons émis par l'appareil produisent une image que vous pouvez voir sur un écran. L'embryon est minuscule, mais le médecin pourra vous montrer le sac embryonnaire et vous pourrez peut-être distinguer un petit point brillant qui bat très vite. Même si l'image n'est pas très

Checklist

« Quelles questions dois-je poser lors de la première visite chez le gynécologue ? »

Notez toutes les questions pour ne pas oublier de les poser le jour J : vous serez étonnée de leur nombre et plus encore de constater à quel point la grossesse vous rend distraite. En voici quelques-unes.

- Combien de kilos vais-je prendre ?

- Est-ce que j'ai des risques de complications ou de maladies ?

- Quels sont les examens indispensables ? Pourquoi ? Quand doivent-ils être effectués ?

- Dois-je suivre un régime particulier ? Quels aliments dois-je privilégier ?

- Puis-je continuer à faire du sport comme avant ? Dois-je faire des exercices spécifiques ?

- Est-ce que je peux continuer à avoir des rapports sexuels comme avant ?

- Est-ce que je peux voyager en étant enceinte ?

- Quels sont les médicaments en vente libre que je peux prendre sans risque, et à quelle dose ? Lesquels dois-je éviter ?

- Les médicaments que je prends en ce moment sont-il sans danger ? Si ce n'est pas le cas, que puis-je prendre à la place ?

- Quels sont les symptômes prévisibles d'ici ma prochaine visite et que dois-je faire quand ils se manifestent ?

- Est-ce que j'aurai affaire à vous à chaque visite ? Et pour l'accouchement ? Est-ce que vous serez là ou bien y aura-t-il un autre médecin ou une sage-femme ?

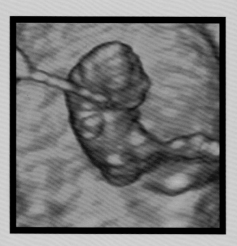

Bébé se développe

- Le cœur, le cerveau, les muscles et les os commencent à se former.
- Des bourgeons de bras et de jambes apparaissent.
- Des sillons se dessinent aux endroits où se formeront les doigts et les orteils.
- La moelle épinière se forme.
- Les yeux s'ébauchent.
- L'embryon de queue (appendice caudal) a disparu.
- Les bras s'allongent et se plient au niveau des coudes.

parlante, n'oubliez pas de demander un ou deux clichés à rapporter chez vous !

« Je vois flou et j'ai les yeux irrités. Est-ce lié à ma grossesse ? »

Les changements hormonaux peuvent effectivement avoir des effets sur les yeux : vos paupières sont peut-être gonflées, vos yeux sont secs, irrités et sensibles à la lumière. Si vous portez les lentilles de contact, c'est particulièrement gênant : gardez-les moins longtemps, demandez à votre pharmacien des gouttes ophtalmiques lubrifiantes (en lui précisant que vous êtes enceinte) ou reprenez vos lunettes pour quelques mois. Si votre vision est floue ou déformée, consultez rapidement votre médecin, car vous souffrez peut-être d'une maladie à ne pas négliger, comme l'hypertension artérielle ou le diabète. Ne cherchez pas à vous soigner toute seule. Cela peut être dangereux.

« Qu'est-ce qu'un dosage de l'hCG et que mesure-t-il ? »

Quand le bébé commence à grossir dans l'utérus, le corps se met à secréter une hormone appelée hCG (ou bêta-hCG), pour hormone chorionique gonadotrophine (voir aussi page 13). C'est cette hormone, parfois appelée hormone de la grossesse, que les tests de grossesse recherchent dans l'urine. Il faut attendre au moins une dizaine de jours après la conception pour que son taux soit suffisamment élevé pour être détecté dans les urines. Votre médecin peut vous prescrire un dosage sanguin de cette hormone afin de connaître précisément la quantité d'hCG présente dans votre sang. L'objectif peut être de confirmer la grossesse et de vérifier qu'elle évolue normalement (dans environ 85 % des grossesses, le taux double toutes les 48 à 72 heures, puis retombe au bout de 8 à 11 semaines).

« Mon utérus est basculé vers l'arrière. Est-ce que l'accouchement sera plus difficile ? »

Vous avez ce que l'on appelle un utérus rétroversé : il est incliné vers l'arrière et non vers l'avant comme chez la majorité des femmes. Cette particularité anatomique n'est pas rare puisqu'elle concerne 15 à 20 % des femmes. Elle n'a pas d'incidence sur la fertilité (les spermatozoïdes parviennent de la même façon jusqu'à l'ovule). Pendant la grossesse, l'utérus rétroversé bascule souvent en position « normale » vers la 12e-13e semaine. Si ce n'est pas le cas, vous pouvez ressentir une pression et une envie permanente d'uriner, même après être allée aux toilettes. Si ces symptômes apparaissent, parlez-en à votre gynécologue. En ce qui concerne l'accouchement, cela ne devrait pas changer grand-chose. Sachez malgré tout que la rétroversion de l'utérus est parfois la conséquence d'un problème plus embêtant comme l'endométriose.

Vos préoccupations

« Comment savoir si mon bébé se sent bien ? »

Bienvenue dans l'univers angoissé des parents ! Vous allez maintenant vous faire du souci jusqu'à la fin de vos jours. Alors commencez à vous y habituer dès maintenant. En réalité, il est impossible de savoir comment se sent votre bébé. Vous ne saurez pas non plus ce qui se passera quand vous le laisserez avec la baby-sitter. Ou quand il ira au collège. Oui, il arrive que certaines choses se passent mal. Mais il y a plus de chances que tout se passe bien et que vous donniez naissance à un adorable bébé. La seule chose qui compte maintenant, c'est que vous meniez une vie saine et que vous suiviez les recommandations de votre médecin. Essayez de rester positive, ne vous inquiétez pas sans raison et ne lisez surtout pas toutes les horreurs qui circulent sur Internet. Savourez cet instant de votre vie et ne stressez pas inutilement.

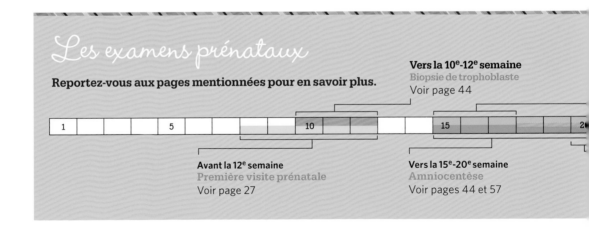

Les examens prénataux

Reportez-vous aux pages mentionnées pour en savoir plus.

Vers la 10e-12e semaine
Biopsie de trophoblaste
Voir page 44

Avant la 12e semaine
Première visite prénatale
Voir page 27

Vers la 15e-20e semaine
Amniocentèse
Voir pages 44 et 57

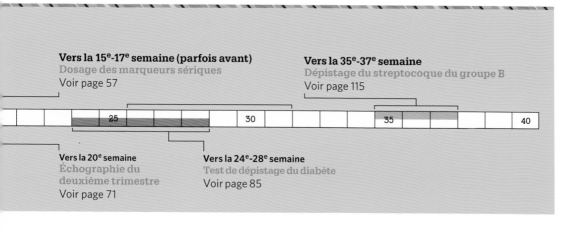

2ᵉ mois

« Quelles sont les démarches administratives à régler ou les précautions financières à prendre avant l'arrivée de mon bébé ? »

Ces questions sont importantes, et c'est le moment d'y penser (mais pas de panique, vous n'êtes pas en retard). Voici une liste des choses à ne pas oublier.

ASSURANCE MALADIE ET ALLOCATIONS FAMILIALES Si vous êtes assurée sociale ou que le futur papa l'est, vous aurez droit au remboursement des soins dans le cadre du suivi médical de la grossesse et à une allocation pendant votre congé maternité. Pour bénéficier de ces droits, vous devez envoyer les différents volets de la déclaration de grossesse à vos Caisses d'Assurance Maladie et d'Allocations familiales, et cela avant la 14ᵉ semaine.

Si vous ne relevez ni du régime de la Sécurité sociale ni de celui des Allocations Familiales, vous devez avoir une assurance personnelle : veillez, dans ce cas, à ce que vos cotisations soient à jour.

TRAVAIL ET CONGÉ MATERNITÉ Vous n'êtes pas obligée d'annoncer votre grossesse tout de suite à votre employeur mais, à partir du moment où ce sera le cas, vous bénéficierez de certains avantages (interdiction de vous licencier, droit de s'absenter pour les examens de la grossesse...). Le congé maternité est de 16 semaines minimum (dont 6 avant la date présumée de l'accouchement).

ASSURANCE-VIE, PLAN D'ÉPARGNE... Avoir un enfant est une bonne raison de commencer à épargner : parlez-en à votre partenaire et prenez rendez-vous avec votre banquier pour vous informer sur les meilleurs placements. Même si ce n'est pas un sujet très réjouissant, pensez à désigner un tuteur – juste au cas où.

« Mon compagnon fait tout ce qu'il peut pour m'aider, mais tout me met de mauvaise humeur. Que dois-je faire ? »

Ce que vous ressentez n'est pas anormal. Les changements hormonaux, le manque de sommeil ou tout simplement le stress

Vers la 15ᵉ-17ᵉ semaine (parfois avant)
Dosage des marqueurs sériques
Voir page 57

Vers la 35ᵉ-37ᵉ semaine
Dépistage du streptocoque du groupe B
Voir page 115

25   30   35   40

Vers la 20ᵉ semaine
Échographie du deuxième trimestre
Voir page 71

Vers la 24ᵉ-28ᵉ semaine
Test de dépistage du diabète
Voir page 85

peuvent rendre une future maman insupportable ! Dites à votre compagnon de ne pas prendre vos sautes d'humeur trop à cœur. Partagez des bons moments ensemble : essayez un nouveau restaurant, allez au cinéma... profitez-en avant que votre bébé ne bouleverse votre vie sociale.

« J'ai des nausées et je manque d'énergie (je suis arrivée plusieurs fois en retard au bureau), mais je n'ai pas envie d'annoncer maintenant à mon patron que je suis enceinte ».

Tant que votre entourage n'est pas au courant (les femmes attendent généralement d'avoir franchi le seuil des 12 semaines pour annoncer leur grossesse), il n'y a aucune raison que votre état inspire de la bienveillance et de la sympathie (pourtant bien méritées). Voici quelques excuses que vous pouvez avancer pour justifier votre état léthargique (mais, loin de nous l'idée de vous pousser à mentir...).

SI VOUS ÊTES ÉPUISÉE

- « J'ai un sacré rhume... je suis complètement lessivée. »
- « Les cours du soir, ça ne me réussit pas ! »
- « J'ai consulté un médecin pour mon problème de somnolence. Diagnostic : je souffre d'apnées du sommeil ! »
- « Je suis sous traitement antiallergique. C'est la poisse, ce médicament provoque des somnolences diurnes ! »
- « Ma cafetière est tombée en panne ce matin. »
- « X (donnez le prénom de votre compagnon) est rentré à 2 heures du matin et m'a réveillée. Résultat : impossible de me rendormir. »

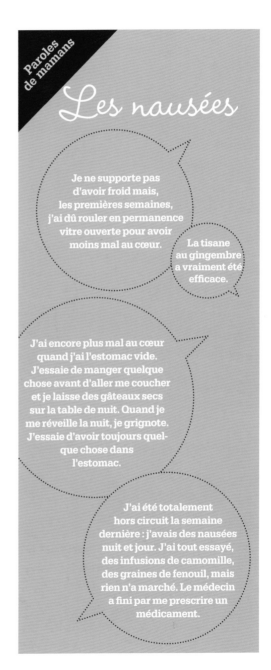

Paroles de mamans

Les nausées

Je ne supporte pas d'avoir froid mais, les premières semaines, j'ai dû rouler en permanence vitre ouverte pour avoir moins mal au cœur.

La tisane au gingembre a vraiment été efficace.

J'ai encore plus mal au cœur quand j'ai l'estomac vide. J'essaie de manger quelque chose avant d'aller me coucher et je laisse des gâteaux secs sur la table de nuit. Quand je me réveille la nuit, je grignote. J'essaie d'avoir toujours quelque chose dans l'estomac.

J'ai été totalement hors circuit la semaine dernière : j'avais des nausées nuit et jour. J'ai tout essayé, des infusions de camomille, des graines de fenouil, mais rien n'a marché. Le médecin a fini par me prescrire un médicament.

SI VOUS ARRIVEZ EN RETARD
- « J'ai attendu l'électricien/le plombier pendant une demi-heure ! »
- « J'ai encore claqué la porte avec les clés à l'intérieur. »
- « Mon mari et moi n'avons qu'une voiture en ce moment, car l'autre est au garage. Je suis vraiment désolée pour ce retard ! »
- « La circulation devient vraiment impossible. Il va falloir que je trouve un autre itinéraire. »
- « Je ne sais pas comment je me suis débrouillée pour régler mon réveil sur 7 heures du soir au lieu de 7 heures du matin ! »

Est-ce normal ?

« Pourquoi suis-je aussi sensible aux odeurs ? Est-ce que ça va durer longtemps ? »

C'est incroyable. Vous êtes à peine enceinte que vous êtes capable de flairer l'odeur de la poubelle que votre voisin a sortie sur le trottoir trois maisons plus loin. Une fois encore, ce sont vos hormones qui sont en cause. Le plus souvent, cette sensibilité aux odeurs et l'état de nausées qui s'ensuit régresse et disparaît au fur et à mesure que la grossesse avance. Expliquez à l'homme de votre vie qu'il vaut mieux qu'il renonce pendant un mois ou deux aux plats mijotés et aux aliments qui sentent fort. Essayez éventuellement de parfumer l'atmosphère avec des odeurs agréables (bougies ou huiles parfumées, au citron ou à la menthe, par exemple).

« J'ai perdu quelques kilos depuis que je suis enceinte. Est-ce normal ? »

Un petit être grandit en vous et pourtant vous maigrissez – c'est tout de même bizarre, non ? Ne vous inquiétez pas : cela arrive à beaucoup de femmes au premier trimestre de leur grossesse. Le bébé ne pèse que quelques grammes au 2e mois et, entre les nausées et le manque d'appétit, il n'est pas rare de perdre quelques kilos. Le fait de manger plus équilibré qu'avant a peut-être aussi contribué à vous faire mincir un peu. La plupart des futures mamans ne prennent d'ailleurs que 1 à 2,5 kg au premier trimestre. L'essentiel est d'absorber tous les nutriments dont vous avez besoin et de vous hydrater suffisamment. Là aussi, si avez la moindre inquiétude, parlez-en à votre gynécologue.

« Je constate que j'ai effectivement des sautes d'humeur. Comment faire pour me contrôler ? »

Les hormones sont en partie responsables de votre humeur, mais il n'y a pas qu'elles. Peu importe que votre grossesse ait été programmée ou non, que ce soit votre premier ou votre cinquième enfant, cette naissance va bouleverser votre vie et peut susciter anxiété et inquiétude. Le bébé va-t-il être en bonne santé ? Combien de temps vais-je encore être malade ? Est-ce que je serai une bonne mère ? Avec toutes ces pensées qui vous trottent dans la tête, pas étonnant que vous soyez un peu sur les nerfs. Comment faire pour calmer le jeu ? Commencez par faire des repas légers plus fréquents car la baisse de la

> J'éclate en sanglots à la moindre occasion. Je n'ai rien à me mettre ? Je pleure. Je regarde un film triste à la télévision ? Je pleure. Je suis très fatiguée ? Je pleure.

glycémie peut exacerber les sautes d'humeur. Autre élément essentiel : l'exercice physique. Essayez le yoga prénatal pour vous détendre et marchez dès que vous le pouvez. Prenez un bain (mais pas brûlant) si cela vous fait du bien. Reposez-vous suffisamment et pensez à garder un peu de temps pour vous. Demandez à votre compagnon de vous masser le haut du dos, et n'hésitez pas à l'impliquer. Plus il comprendra ce que vous ressentez (et saura comment vous aider), mieux vous vous en porterez tous les deux. Et n'oubliez pas que vous avez aussi une famille et des amis pour vous soutenir.

Si vous avez vraiment du mal à contrôler vos sautes d'humeur, prenez éventuellement des cours pour apprendre à gérer votre stress. Et si vous pensez que votre problème dépasse de simples sautes d'humeur, adressez-vous à un spécialiste (psychiatre). Si vous avez déjà souffert d'anxiété ou de dépression et si vous avez eu besoin d'un traitement pour en venir à bout, dites-le lui. Il saura vous soigner sans risque pour votre bébé.

« Je n'en peux plus de ces nausées ! Y a-t-il un moyen pour s'en débarrasser ? »

Certaines femmes sont surtout malades le matin, au lever, d'autres se sentent mal plus ou moins toute la journée. Il n'y a pas de remède miracle, mais vous pouvez essayer un

Que puis-je commander dans un restaurant de sushis ?

Une partie du menu vous est interdite (le poisson cru, séché ou fumé peut contenir des parasites et/ou des bactéries toxiques pour le bébé), mais pas tout !

	AU CHOIX
APÉRITIFS	edamame, shu mai aux crevettes, negimaki
SOUPES	soupe miso, soupe aux nouilles
SALADES	salade verte, salade d'algues
SUSHIS	sushis préparés avec du poisson cuit
PLAT PRINCIPAL	teriyaki au poulet, tempura de légumes ou de crevettes

certain nombre de choses. D'abord, ne vous laissez pas mourir de faim. Même si la nourriture vous dégoûte, sachez que la nausée peut être déclenchée par un estomac vide et une faible glycémie. Prenez des repas légers et complétez par une ou deux collations dans la journée, en choisissant des aliments sains et faciles à digérer (pain, fromage, yaourt, fruit…). Évitez tout ce qui est gras et épicé car vos nausées ne feraient qu'empirer et n'abusez pas des aliments très salés ou sucrés. Pensez aussi à boire suffisamment car la déshydratation déclenche des nausées. Essayez la menthe ou le citron (bonbons acidulés, boissons additionnées d'un peu de citron…), qui suffisent parfois à faire passer une légère nausée. Les vertus antiémétiques (contre les nausées et les vomissements) du gingembre sont connues : vous en trouverez sous forme d'infusion, de soda ou de confiserie. Cette plante existe aussi en gélule, mais demandez conseil à votre gynécologue avant d'en prendre. La vitamine B6 est également réputée pour calmer les nausées (parlez-en à votre médecin). Vous pouvez aussi essayer le bracelet anti-nausées qui fonctionne par stimulation des points d'acupression. Si rien ne marche, votre médecin peut vous prescrire un médicament. Si vous perdez beaucoup de poids ou que vous ne gardez vraiment rien dans l'estomac, consultez rapidement car c'est peut-être le symptôme d'une affection plus grave.

« Je n'ai pas de nausées et mes seins ne me font pas mal. Est-ce que je dois m'inquiéter ? »

Non. Cela veut simplement dire que vous avez de la chance. Les désagréments liés à la grossesse – des nausées matinales à la constipation – sont plus ou moins nets suivant les femmes. Ne vous inquiétez pas si vous n'avez pas de problèmes, cela n'a rien à voir avec l'état de santé de votre bébé. Profitez d'une vie normale tant que cela dure !

Est-ce dangereux?

« Puis-je avoir une vie sexuelle ? »

Tant que tout va bien et que vous êtes en bonne santé, vous pouvez avoir des rapports jusqu'à la rupture de la poche des eaux. Si vous présentez un risque d'accouchement prématuré ou de fausse couche, si vous ressentez une douleur ou observez des pertes ou des saignements inhabituels après les rapports, votre gynécologue vous fixera des limites.

Bien évidemment, votre partenaire doit avoir effectué des tests pour s'assurer qu'il n'est porteur ni du VIH (virus du sida) ni d'une IST (infection sexuellement transmissible).

« Est-ce que je peux boire de l'eau en bouteille sans risque ? »

Certains s'inquiètent du fait que l'exposition au bisphénol A (BPA), un composant des plastiques, entraînerait des fausses couches, des malformations, des dérèglements hormonaux et des troubles du comportement chez l'enfant. Les avis des scientifiques sont contradictoires sur ce sujet. Pour certains, les effets toxiques ne se manifestent qu'à des doses 400 fois plus élevées que celles auxquelles nous sommes exposées dans notre vie quotidienne. Pour d'autres, les concentrations actuelles de BPA (que l'on peut doser dans le sang de la mère et dans celui du fœtus) sont déjà susceptibles d'entraîner des effets délétères. Si vous êtes inquiète, limitez au maximum les contenants en plastique et, surtout, évitez de chauffer un aliment dans un emballage susceptible de contenir du BPA (récipients en plastique pour micro-onde, boîtes de conserve au bain-marie) car la chaleur favorise la migration de ce composé chimique vers l'aliment. Après la naissance de votre enfant, choisissez des biberons sans BPA ou en verre.

« Je voudrais continuer à faire du sport, mais dois-je éviter certaines activités ? »

Au premier trimestre, les futures mamans peuvent généralement faire du sport comme avant. Malgré tout, certaines activités dangereuses ou à risque de chute sont contre-indiquées (plongée, sports de combat, ski, équitation...). Les sports les plus recommandés sont la marche, la natation et la gymnastique (adaptée à votre état aux 2e et 3e trimestres).

Votre rythme cardiaque augmente pendant la grossesse ; par conséquent, ne négligez pas les phases d'échauffement et de récupération et évitez les sports qui impliquent des efforts cardiovasculaires très importants (tennis ou gymnastique style aérobic, par exemple).

« Puis-je utiliser sans risque un vibromasseur ? »

L'usage d'un vibromasseur externe ne présente aucun danger. En revanche, les vibromasseurs internes ne sont pas toujours recommandés (n'hésitez pas à demander conseil à votre gynécologue).

« J'ai entendu dire qu'il fallait éviter le jacuzzi pendant la grossesse ? Pourquoi ? »

Le jacuzzi, comme le hammam, le sauna ou les bains très chauds, est souvent déconseillé car il peut faire monter votre température corporelle et celle du bébé trop haut, avec des conséquences possibles sur le développement du fœtus.

▌Au quotidien

« Comment refuser discrètement de boire de l'alcool si je sors prendre un verre avec des amis ? »

Rien de tel pour annoncer sa grossesse que de refuser un verre. Alors, laissez vos amis vous verser du vin et faites semblant d'en boire une petite gorgée de temps en temps tout au long du repas (votre compagnon peut aussi boire subrepticement dans votre verre), ou bien allez vous-même au bar et commandez un cocktail sans alcool. Enfin, vous pouvez simplement arguer que vous suivez un traitement interdisant de boire de l'alcool (c'est le cas de nombreux médicaments) et vous obligeant à vous en tenir à l'eau minérale.

« La grossesse affecte-t-elle la mémoire ? »

Heureusement (ou malheureusement, suivant la façon dont on voit les choses), aucune étude scientifique ne permet d'affirmer que la grossesse agit sur les neurones. Et pourtant, beaucoup de futures mamans avouent qu'elles ont des trous de mémoire et se sentent parfois un peu désorientées. D'où cela vient-il ? Des changements hormonaux, du manque de sommeil et/ou des pensées

pas de viande crue pendant la grossesse

« Quels aliments dois-je éviter ? »

Maintenant que ce que vous mangez profite aussi à votre bébé, le choix des aliments est important. Voici quelques aliments ou boissons à limiter ou à proscrire.

Alcool Il passe dans le sang du bébé et peut entraîner de graves problèmes : on recommande aujourd'hui de supprimer toute consommation durant la grossesse.

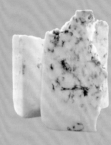

Certains poissons Écartez l'espadon, le marlin, la lamproie ou le requin, qui contiennent trop de mercure. Les poissons et les coquillages crus sont également interdits.

Fromages au lait cru Les fromages non pasteurisés (ils portent la mention « au lait cru ») peuvent contenir des bactéries pathogènes dangereuses pour vous et pour votre bébé.

Charcuterie Attention au risque de listériose (infection alimentaire bactérienne) avec la charcuterie, surtout pour les produits qu'on ne cuit pas ensuite.

Café Il n'y a pas de contre-indication, mais la plupart des gynécologues conseillent de limiter fortement la consommation de caféine.

Fruits et légumes non lavés Lavez bien les fruits et légumes pour éliminer les bactéries (et une partie des pesticides).

« Mes seins sont énormes ... Faut-il acheter un soutien-gorge de grossesse ou simplement passer à la taille supérieure ? »

Eh oui, vos seins évoluent. Quand faut-il passer au soutien-gorge de grossesse et que mettre d'ici-là ?

DU 1ᵉʳ AU 3ᵉ MOIS
Soutien-gorge normal
Vos soutiens-gorge vous vont sans doute encore, mais préparez-vous à changer de taille bientôt.

DU 4ᵉ AU 6ᵉ MOIS
Soutien-gorge plus grand
Le soutien-gorge de grossesse n'est pas encore nécessaire. Optez pour un soutien-gorge plus grand. Ne vous ruinez pas, car vous n'allez pas le porter longtemps.

DU 7ᵉ AU 9ᵉ MOIS
Soutien-gorge de grossesse
Il soutient mieux les seins, surtout sur les côtés, ce qui évite d'avoir mal. Achetez-en deux pour en avoir toujours un propre d'avance.

les bonnets se détachent pour permettre l'allaitement

APRÈS LA NAISSANCE
Soutien-gorge d'allaitement
L'objectif est double : soutenir la poitrine et permettre l'accès aux seins pour les tétées. Il ne doit surtout pas être muni de baleines.

APRÈS LA NAISSANCE
Nouveau soutien-gorge sexy
Vos seins ne sont plus les mêmes, même si vous êtes revenue à votre taille normale. Offrez-vous un soutien-gorge sexy.

qui leur trottent en permanence dans la tête (et génèrent un stress) à propos de leur futur bébé. Pour éviter de perdre trop de temps à cause de vos oublis, écrivez tout et faites des listes. Ne sautez pas de repas et reposez-vous bien ; cela vous aidera à retrouver vos esprits. Et n'oubliez pas de diversifier votre alimentation pour aider votre cerveau à bien fonctionner.

« Pourquoi est-ce que je fais des rêves absurdes ? »

Les rêves sont le reflet de notre état mental et, il faut bien l'avouer, vous êtes un peu perturbée en ce moment. Les changements hormonaux (surtout des poussées de progestérone et d'œstrogènes) contribuent également à générer des rêves bizarres. De plus, votre sommeil est peut-être haché (c'est souvent le cas pendant la grossesse) : si vous vous réveillez pendant une phase de sommeil paradoxal (la phase des rêves), vous vous souvenez alors plus facilement de vos rêves. Pourquoi rêvez-vous de forêts et d'océans... d'animaux qui parlent... de rapports sexuels (et pas forcément avec votre mari)... ou de maisons géantes ? Ces thèmes récurrents correspondent à des émotions et à des angoisses liées à la transformation de votre corps, au développement d'un être au plus profond de vous-même et à l'évolution de vos relations avec la personne qui partage votre vie. Dites-vous que c'est une manière inconsciente de gérer le stress et les émotions fortes.

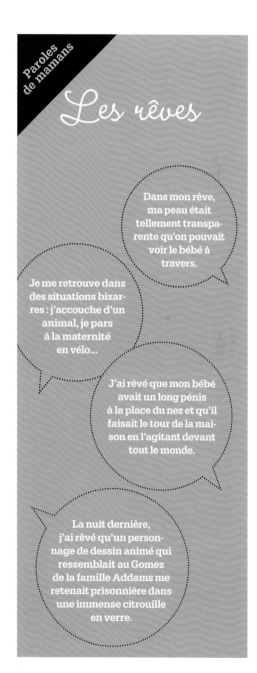

Paroles de mamans

Les rêves

Dans mon rêve, ma peau était tellement transparente qu'on pouvait voir le bébé à travers.

Je me retrouve dans des situations bizarres : j'accouche d'un animal, je pars à la maternité en vélo...

J'ai rêvé que mon bébé avait un long pénis à la place du nez et qu'il faisait le tour de la maison en l'agitant devant tout le monde.

La nuit dernière, j'ai rêvé qu'un personnage de dessin animé qui ressemblait au Gomez de la famille Addams me retenait prisonnière dans une immense citrouille en verre.

Chapitre 3

troisième

Une lumière au bout du tunnel

mois

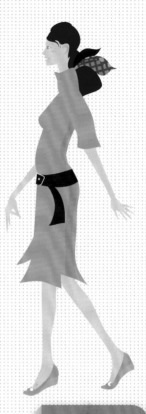

Bonne nouvelle ! Un des grands moments de la grossesse approche : celui où votre gynécologue va commencer à écouter les battements cardiaques de votre bébé. Aucun son n'est plus beau aux oreilles d'une future maman que les battements sourds que vous allez entendre (ne soyez pas inquiète s'ils sont rapides, c'est parfaitement normal). Alors, ne vous laissez pas abattre par de petits désagréments et réjouissez-vous de ce qui se profile à l'horizon : un appétit qui revient, un joli ventre qui s'arrondit et (espérons-le) des nausées qui s'estompent.

Pense-bête

- Programmer l'échographie du 1er trimestre (si ce n'est déjà fait).

- Acheter un soutien-gorge plus grand.

- Regarder les vêtements de grossesse dans les boutiques.

- Décider d'annoncer la nouvelle autour de vous.

mot à maux...

" Terminé : je n'arrive plus à fermer mes jeans.

C'est quoi ces peti- tes veines bleues sur mes seins ?

J'AI ENCORE ENVIE DE FAIRE PIPI SOUVENT.

Encore un bouton !

Aïe ! Toujours des brûlures d'estomac !

Mes seins sont énOrmes !

J'ai des fuites.

J'AI FAIM TOUT LE TEMPS.

Je suis ballonnée !

Je suis fatiguée et j'ai encore mal au cœur. "

Vos questions...

▌Chez le gynécologue

« À partir de quand pourrai-je entendre battre le cœur de mon bébé ?
Le rythme des battements indique-t-il quelque chose ? »

C'est en général vers la 12ᵉ semaine que le gynécologue écoute les battements avec un appareil à ultrasons appelé Doppler. Certains font l'essai un peu plus tôt mais, en principe, jamais avant la 10ᵉ semaine. Un rythme de 110 à 160 battements par minute est considéré comme normal à ce stade. Certaines grands-mères prétendent que le rythme cardiaque peut révéler le sexe du bébé : ce n'est pas l'avis des scientifiques... (si cela vous intéresse quand même, sachez que le cœur des filles battrait plus vite). En réalité, la fréquence

Il est gros comment ?

9ᵉ SEMAINE	10ᵉ SEMAINE	11ᵉ SEMAINE	12ᵉ SEMAINE	13ᵉ SEMAINE
Olive	Pruneau	Citron vert	Prune	Pêche

est extrêmement variable : il suffit que le bébé gigote un peu pour qu'elle s'accélère.

« Qu'est-ce que la mesure de la clarté nucale ? J'en ai entendu parler comme d'un examen de dépistage de la trisomie 21... »

Au cours de l'échographie du premier trimestre, entre la 11ᵉ et la 14ᵉ semaine, le praticien va mesurer l'épaisseur d'un espace rempli de liquide (la clarté nucale), situé derrière le cou, entre la peau et les tissus de la colonne vertébrale. Une épaisseur trop importante signale un risque plus important de trisomie 21 (et d'autres maladies chromosomiques comme la trisomie 18) et de malformations du cœur. Les médecins prennent en compte ce signe d'alerte (ce n'est pas une certitude), ainsi que d'autres indicateurs (le dosage des marqueurs sériques dans le sang, notamment) pour décider de mener des examens plus poussés, comme la biopsie du trophoblaste et l'amniocentèse.

« Comment savoir dans quel trimestre je me trouve ? »

Tous les gynécologues n'utilisent pas les mêmes repères pour déterminer le début et la fin de chaque trimestre. Certains médecins divisent la grossesse en trois tiers égaux, d'autres la découpent en trois phases de 13 semaines, plus une semaine à la fin, ce qui fait 40 semaines. La façon la plus courante de faire le décompte est la suivante.

PREMIER TRIMESTRE De la date du début des dernières règles (DDR) à la fin de la 13ᵉ semaine.
SECOND TRIMESTRE De la 14ᵉ à la 27ᵉ semaine.
TROISIÈME TRIMESTRE De la 28ᵉ semaine à l'accouchement.

3ᵉ mois

« Quelle est la différence entre une biopsie du trophoblaste et une amniocentèse ? »

Ces deux examens permettent d'analyser les chromosomes du fœtus et donc de dépister une éventuelle anomalie. La biopsie de trophoblaste est généralement pratiquée vers la 10e-11e semaine d'aménorrhée. Elle consiste à prélever un morceau du placenta (appelé trophoblaste à ce stade) par voie vaginale ou abdominale et à analyser ses cellules (ces dernières ayant les mêmes caractéristiques génétiques que celles du fœtus). Cet examen est réservé aux cas particuliers de risque élevé d'anomalie chromosomique ou de maladie génétique. Il a l'avantage de pouvoir être fait plus tôt que l'amniocentèse et de donner des résultats rapides (quelques jours dans la plupart des cas).

L'amniocentèse, qui se pratique autour de la 16e semaine, consiste à prélever un peu de liquide amniotique via l'abdomen et à l'analyser afin de dépister des anomalies chromosomiques, des maladies génétiques, une éventuelle infection ou un risque d'anomalie du tube neural, comme le spina bifida. Cet examen est recommandé à toutes les femmes de plus de 38 ans (car la fréquence des anomalies chromosomiques augmente avec l'âge) et chez les femmes plus jeunes s'il existe un risque particulier (antécédents médicaux, signes à l'échographie, résultats des marqueurs sériques).

À noter : la biopsie de trophoblaste et l'amniocentèse permettent de déterminer le sexe de l'enfant bien que cela ne soit pas leur objectif premier.

▌ Vos préoccupations

« À partir de quand le risque de fausse couche est-il écarté ? »

La plupart des fausses couches ont lieu au cours du premier trimestre et sont dues à des problèmes chromosomiques se produisant au moment de la fécondation. On estime que 10 à 15 % des grossesses se terminent malheureusement par une fausse couche et il n'y a généralement aucun moyen de les prévenir. Ce chiffre paraît élevé, mais il signifie aussi que vous avez entre 85 et 90 % de chances que tout se passe bien ! La plupart des fausses couches s'accompagnent de saignements et/ou de contractions. Mais ne paniquez pas pour autant si vous avez des saignements au cours du premier trimestre : dans plus de 50 % des cas, ils cessent et la grossesse se poursuit jusqu'au terme. Dans certains cas, il n'y a aucun signe d'alerte jusqu'à ce qu'une échographie constate l'absence d'activité cardiaque.

Quand peut-on arrêter de se faire du souci ? La perception des battements cardiaques doit vous rassurer. Si la deuxième échographie est normale, le risque devient faible.

« Y a-t-il un moyen de savoir si c'est une fille ou un garçon avant la deuxième échographie ? »

Dans certains pays, des tests urinaires à faire chez soi à 10 semaines de grossesse permettent de connaître le sexe de l'enfant (avec une certaine marge d'erreur toutefois). Ces tests sont à ce jour interdits en France en raison d'un risque de dérive (sélection du sexe de l'enfant par interruption volontaire de grossesse). La biopsie de trophoblaste et

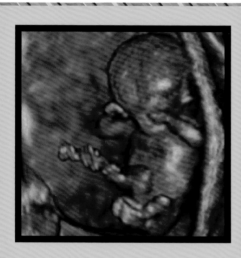

Bébé se développe

- Les intestins commencent à passer du cordon ombilical vers la cavité abdominale.
- L'embryon prend le nom de fœtus.
- Les articulations des bras et des jambes commencent à fonctionner.
- Les doigts et les orteils ne sont plus palmés.
- La peau reste transparente.
- Les os et les cartilages se développent.
- Les dents et les cordes vocales se forment.
- Les follicules pileux apparaissent.

l'amniocentèse peuvent donner l'information, mais ce n'est naturellement pas leur objectif. Laissez donc courir le suspense jusqu'à l'échographie du deuxième trimestre, amusez-vous à consulter le calendrier chinois proposé page 47 (naturellement sans certitude !).

« Quelles sont les dépenses auxquelles nous allons devoir faire face une fois que le bébé sera né ? »
Vous allez devoir préparer la chambre (de préférence avant l'accouchement). Pensez à Internet, bien pratique pour commander des meubles (berceau, commode, table à langer) et même des accessoires (siège auto, transat, baby-phone…) de chez soi, sans avoir à se déplacer. Prévoyez également les dépenses récurrentes, comme les couches, le lait, les vêtements… L'idéal est de commencer dès maintenant à mettre un peu d'argent de côté.

Est-ce normal ?

« J'ai l'impression d'avoir envie de faire pipi toutes les cinq minutes ! »
L'envie fréquente d'uriner est un signe précoce de la grossesse. Elle est due à des facteurs hormonaux, puis à la pression grandissante que l'utérus exerce sur la vessie. Cette pression devrait se relâcher à mesure que l'utérus remonte dans la cavité abdominale, c'est-à-dire au deuxième trimestre, mais pas pour longtemps : vous pouvez de nouveau avoir souvent envie de faire pipi au troisième trimestre. Allez aux toilettes dès que vous en ressentez l'envie (vous éviterez les fuites urinaires en toussant ou en éternuant) et penchez-vous bien en avant quand vous urinez pour vider complètement votre vessie. Ne diminuez pas les boissons car votre corps a besoin d'être hydraté. Consultez votre gynécologue si vos mictions sont douloureuses et/ou malodorantes : il s'agit peut-être d'une infection urinaire.

« J'ai souvent des contractions ! Est-ce le signe que mon bébé ne va pas bien ? »
Probablement pas. Au début de la grossesse, les femmes ont souvent des contractions qui ressemblent à des douleurs de règles. Plus tard, des contractions abdominales peuvent survenir avec des sensations de tiraillement : elles sont liées à la croissance de l'utérus et à l'étirement des muscles et ligaments qui le soutiennent. Pour soulager ces douleurs dites ligamentaires (qui ne sont généralement pas très intenses), réduisez un peu votre activité physique, allongez-vous en surélevant vos pieds et changez de position quand vous avez mal.

De nombreuses femmes ressentent aussi des durcissements ou raidissements momentanés de leur ventre (de leur utérus, en fait). Ces fausses contractions ne sont pas vraiment douloureuses, et elles sont irrégulières, contrairement aux vraies contractions de travail.

Si la douleur devient intense, persiste ou s'accompagne de saignements ou de signes inhabituels, appelez rapidement votre gynécologue.

« Les brûlures d'estomac vont-elles continuer pendant les six mois qui viennent ? Comment les atténuer ? »
Les brûlures d'estomac, franchement désagréables, sont dues à des remontées acides provenant de l'estomac. Leur fréquence au début de la grossesse s'explique par des modifications hormonales : la progestérone entraîne un relâchement du sphincter (sorte de clapet) qui sépare

l'œsophage de l'estomac, et permet normalement au contenu acide de l'estomac de ne pas remonter. La bonne nouvelle est que ces brûlures s'atténuent souvent au deuxième trimestre. La mauvaise est qu'à ce moment-là le bébé commence à comprimer les organes digestifs, à les repousser vers le haut, avec les mêmes conséquences.

Que faire ? Évitez les aliments qui stimulent les sécrétions acides : chocolat, café, thé, agrumes, tomates, plats gras et épicés (à chacune d'observer sa sensibilité à tel ou tel aliment). Cela peut atténuer un peu les douleurs sans forcément les faire disparaître. Vous pouvez aussi surélever légèrement votre tête pour dormir et boire en dehors des repas plutôt qu'en mangeant. Malheureusement, quoi que vous fassiez, les brûlures se feront certainement sentir de temps à autre. Parlez-en à votre médecin qui pourra vous prescrire un médicament antiacide.

« Pourquoi je salive autant ? »
Les femmes qui souffrent de nausées importantes constatent souvent qu'elles salivent plus que d'habitude, ce qui les oblige à déglutir sans arrêt et parfois à cracher. Le phénomène, sans doute d'origine hormonale, peut s'atténuer à la fin du premier trimestre ou persister au fil des mois. Pensez à avoir en permanence sur vous quelques pastilles à la menthe ou chewing-gums sans sucre : ils facilitent la déglutition et font passer le mauvais goût que vous pouvez avoir dans la bouche. Les bains de bouche peuvent également soulager un peu.

> À certains moments, mes maux de tête deviennent vraiment intenses. La seule solution, c'est de rentrer chez moi, de m'allonger dans une pièce sombre et tranquille avec un gant de toilette froid sur le front et de dormir un peu.

Le calendrier chinois des sexes

Ce tableau permettrait de prédire le sexe du futur bébé !
Même si vous n'y croyez pas, faites la recherche juste pour vous amuser.

3ᵉ mois

mois de conception

votre âge au moment de la conception

	janv.	févr.	mars	avr.	mai	juin	juill.	août	sept.	oct.	nov.	déc.
18												
19												
20												
21												
22												
23												
24												
25												
26												
27												
28												
29												
30												
31												
32												
33												
34												
35												
36												
37												
38												
39												
40												
41												
42												
43												
44												
45												

Repérez la case qui correspond à votre âge au moment de la conception
et au mois où vous avez conçu le bébé.

« J'ai souvent mal à la tête depuis que je suis enceinte. Est-ce normal ? »

La poussée hormonale, l'accélération de la circulation sanguine, le stress, le manque de sommeil, la déshydratation et, pour celles qui étaient accros au café, le manque de caféine peuvent entraîner des maux de tête. En principe, ces douleurs devraient disparaître au deuxième trimestre, une fois que l'organisme s'est habitué au surplus d'hormones. En attendant, reposez-vous, mangez équilibré et hydratez-vous bien. Appliquez une compresse chaude sur votre visage ou un gant de toilette froid sur votre nuque, allongez-vous dans une pièce sombre. Si la douleur est aiguë, demandez à votre médecin de vous prescrire un médicament.

« J'ai énormément de pertes. »

Tant que les pertes vaginales restent claires ou blanchâtres, qu'elles ne sentent pas mauvais et que vous ne ressentez ni démangeaisons ni brûlures, c'est normal. On les appelle leucorrhées. Il s'agit de sécrétions provenant du vagin et du col de l'utérus. Vous avez sans doute déjà eu des pertes de ce genre, mais elles s'intensifient pendant la grossesse car la production d'œstrogènes et la vascularisation du vagin augmentent. Achetez des protège-slips non parfumés et évitez les douches vaginales et autres produits d'hygiène féminine. Privilégiez les culottes en coton qui absorbent mieux l'humidité. Les leucorrhées sont plus importantes dans les jours qui précèdent l'accouchement. Si vous remarquez qu'elles s'intensifient avant la 37e semaine – ou si elles deviennent roses ou brunâtres à tout autre moment de la grossesse –, appelez immédiatement votre gynécologue car c'est peut-être un signe d'accouchement prématuré. Si vos pertes sont malodorantes et que vous avez des brûlures ou des démangeaisons, il peut s'agir d'une infection génitale de type mycose (infection à *Candida albicans*).

« Au secours ! Je suis complètement constipée depuis trois jours ! »

La constipation fait, hélas, partie des petites misères inévitables de la grossesse, mais vous pouvez agir pour améliorer un peu les choses. Consommez des aliments riches en fibres (céréales complètes, fruits et légumes) et buvez beaucoup (au moins huit verres par jour). Même si vous n'êtes pas particulièrement motivée en ce moment, faites aussi un peu d'exercice physique. Ne poussez pas trop fort quand vous allez à la selle, car vous risquez de déclencher l'apparition d'hémorroïdes. Si votre transit ne se régule vraiment pas, demandez à votre médecin de vous prescrire un laxatif doux. Ne prenez pas de médicaments en vente libre (ou tout autre remède) sans avis médical.

Est-ce dangereux?

« J'aimerais faire l'amour comme avant, mais mon mari pense que cela peut faire du mal au bébé. »

Pour rassurer votre mari, dites-lui qu'il est absolument impossible qu'un pénis (quelle que soit sa taille !) touche le bébé et lui fasse du mal. Le

Je sais qu'il est absolument impossible de blesser notre bébé en faisant l'amour, mais cela nous effraie tous les deux. J'ai peur d'avoir des saignements après et cela me terrifie. Quant à mon mari, il semble gêné voire intimidé !

Combien de kilos vais-je prendre ?

Si votre corpulence se situait dans la norme (IMC* entre 18 et 25) avant que vous ne soyez enceinte, vous pouvez sans problème prendre 10-13 kg. La prise de poids est d'environ 2 kg (1,5 à 2,5) au premier trimestre, elle s'accélère ensuite, surtout à partir du sixième mois, et peut ralentir à l'approche du terme. Si vous étiez en surpoids, essayez de limiter la prise de poids à 10 kg maximum. Quel que soit votre poids de départ, l'idéal est de grossir le plus régulièrement possible. Si votre poids varie brutalement, surtout au troisième trimestre, cela peut être un signe de pré-éclampsie, une complication qui peut être grave pour vous et votre bébé. Les chiffres donnés ci-dessous sont indicatifs : ils peuvent naturellement varier d'une femme à l'autre.

3ᵉ mois

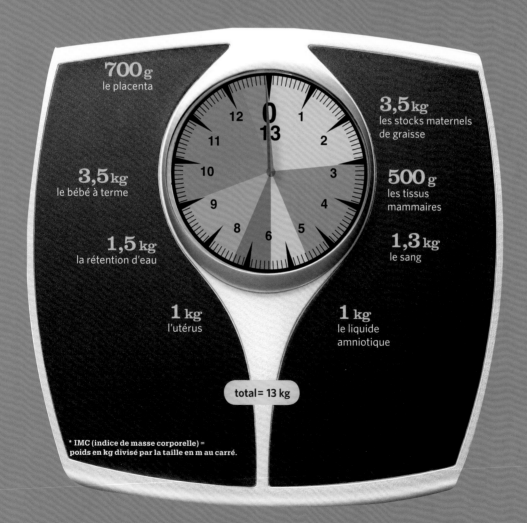

700g le placenta

3,5kg les stocks maternels de graisse

3,5kg le bébé à terme

500g les tissus mammaires

1,5kg la rétention d'eau

1,3kg le sang

1kg l'utérus

1kg le liquide amniotique

total= 13 kg

* IMC (indice de masse corporelle) = poids en kg divisé par la taille en m au carré.

fœtus est bien à l'abri dans votre utérus, entouré de liquide amniotique. De plus, le bouchon muqueux obture l'orifice du col pour empêcher les microbes de passer.

« J'ai envie d'acheter un Doppler pour écouter le cœur de mon bébé à la maison. »

De nombreux fabricants proposent des Dopplers fœtaux (il suffit de taper « Doppler fœtal » sur Google pour obtenir des dizaines de résultats). La plupart de ces appareils ressemblent à celui utilisé par votre gynécologue. Vous pouvez effectivement vous en servir pour écouter le cœur de votre bébé. Mais sachez que cela ne vous apportera pas forcément la tranquillité d'esprit que vous recherchez. Il est parfois difficile de trouver les battements cardiaques, ce qui provoque un stress énorme. Bon nombre de médecins reçoivent des appels de futures mamans affolées parce qu'elles n'arrivent pas à capter le rythme cardiaque de leur bébé ou parce que celui-ci s'est modifié. Pour information, sachez que le rythme cardiaque normal d'un fœtus se situe entre 110 et 160 battements par minute.

« Puis-je continuer à voir mon ostéopathe ? »

Oui, à partir du moment où votre ostéopathe sait que vous êtes enceinte. Les manipulations peuvent d'ailleurs atténuer les tensions que la prise de poids entraîne au niveau de la colonne vertébrale. Elles contribuent aussi à la prévention des sciatiques (douleurs sur le trajet du nerf sciatique, qui part de la région lombaire et descend dans les jambes jusqu'aux pieds), plus fréquentes durant la grossesse. Des visites régulières permettent aussi de maintenir l'équilibre du bassin, souvent perturbé quand le ventre commence à grossir et que la femme modifie sa posture.

« Les colorations pour cheveux sont-elles sans danger ? »

Aucune étude scientifique n'a montré que les colorations présentaient un danger chez la femme enceinte. Potentiellement pourtant, les produits chimiques qui les composent peuvent passer dans l'organisme à travers la peau ou par inhalation. Prenez quelques précautions.

• Attendez que le premier trimestre soit passé et que les organes vitaux du bébé soient déjà développés.
• Prenez rendez-vous en début de journée pour que les émanations soient moins importantes dans le salon.
• Demandez à votre coiffeur d'éviter (si possible !) de mettre le produit en contact avec votre cuir chevelu.
• Privilégiez les mèches (pas de contact avec le cuir chevelu) plutôt que les colorations.
• Demandez à votre coiffeur une coloration qui contienne peu (ou pas du tout) d'ammoniaque et de peroxyde d'hydrogène.
• Si vous faites vous-même votre coloration, mettez des gants et installez-vous dans une pièce bien ventilée.

« Est-ce que je peux suivre un cours de gymnastique classique ou dois-je me limiter à la gymnastique prénatale ? »

Il n'a pas de raison d'abandonner vos cours de gym, à condition d'être à l'écoute de votre corps et d'avoir l'accord de votre gynécologue. Certains exercices devront être

3e mois

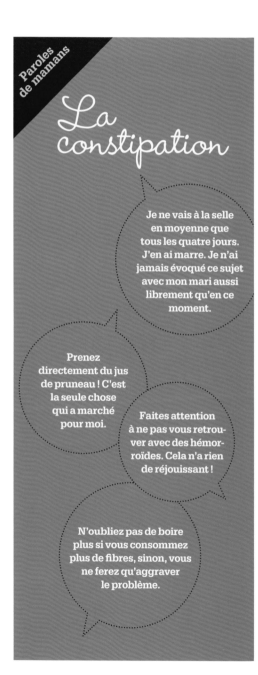

La constipation

Je ne vais à la selle en moyenne que tous les quatre jours. J'en ai marre. Je n'ai jamais évoqué ce sujet avec mon mari aussi librement qu'en ce moment.

Prenez directement du jus de pruneau ! C'est la seule chose qui a marché pour moi.

Faites attention à ne pas vous retrouver avec des hémorroïdes. Cela n'a rien de réjouissant !

N'oubliez pas de boire plus si vous consommez plus de fibres, sinon, vous ne ferez qu'aggraver le problème.

adaptés au fil de la grossesse. D'une manière générale, arrêtez-vous si vous ne vous sentez pas bien. Renoncez aux sports impliquant un effort intense et des chocs (pas de *kick boxing* !), et évitez les positions à plat dos après le premier trimestre (surtout à la fin de la grossesse). Appuyez-vous éventuellement sur quelque chose (bâton, mur) pour les exercices d'équilibre, car votre centre de gravité va se déplacer.

PORTEZ UN SOUTIEN GORGE ADAPTÉ Votre poitrine doit être bien maintenue, car vos seins sont maintenant très sensibles.

ÉCHAUFFEMENT Les 5 minutes que vous allez y consacrer feront la différence.

RELEVEZ-VOUS DOUCEMENT Si vous avez fait des exercices en position allongée, vous risquez d'avoir la tête qui tourne. Après 20 semaines de grossesse, vous ne pourrez de toute façon plus vous allonger sur le dos.

RÉCUPERATION Prenez 15 minutes pour récupérer.

▌Au quotidien

« Je commence à être serrée dans mes vêtements, mais je ne suis pas encore prête pour les vêtements de grossesse. Que puis-je mettre pendant cette période de transition ? »

Vous espérez rentrer encore une semaine ou deux dans votre jean préféré ? Voici une astuce : l'élastique. Enroulez un élastique au bouton, passez-le dans la boutonnière et repassez-le autour du bouton. Autre solution : la grosse épingle à nourrice. Mettez un pull ou un chemisier un peu long par-dessus, et tout le monde n'y verra que du feu. Ou bien achetez une ceinture de grossesse dans les

« Quelle est la garde-robe idéale pour m'habiller d'un bout à l'autre de la grossesse ? »

☑ *vous avez déjà*   ☐ *vous aurez besoin*

○ **JEAN** Oubliez les jeans moulants, préférez un jean large durant les 2-3 premiers mois.

○ **JEAN DE GROSSESSE** Équipé d'un panneau extensible sur le devant.

○ **VESTE** Portez-la ouverte pour laisser votre petit ventre rond dégagé.

○ **ROBE PORTEFEUILLE** Vous pourrez l'ajuster en fonction de votre tour de taille.

○ **DÉBARDEUR** Grâce à sa matière extensible, il peut être porté pendant un bon moment.

○ **DÉBARDEUR DE GROSSESSE** Choisissez des modèles très longs.

○ **T-SHIRT** On a toujours quelques T-shirts un peu grands dans ses armoires.

○ **T-SHIRT DE GROSSESSE** Mettez votre belle poitrine en valeur avec un col en V.

○ **GILET** Un gilet un peu large est plus pratique qu'un pull.

○ **GILET** Choisissez une teinte neutre (du noir, par exemple).

○ **JUPE** Les jupes droites taille haute affinent la silhouette.

○ **JUPE DE GROSSESSE** Une jupe courte pour mettre en valeur vos jambes.

○ **PETITE ROBE NOIRE** L'idéal est une robe style Empire qui ne comprime pas le ventre.

○ **LONGUE ROBE NOIRE** L'élégance !

○ **T-SHIRT D'HOMME** Piquez un T-shirt taille XL à votre mari en fin de grossesse !

○ **PANTALON NOIR TAILLE BASSE** Cachez la taille avec un T-shirt ou un débardeur.

○ **PANTALON NOIR** Un basique à porter les premiers mois.

○ **PANTALON DE GROSSESSE NOIR** Le panneau de devant cache le ventre.

boutiques spécialisées. Ces ceintures sont faites d'un tissu extensible que l'on enroule autour de la taille pour tenir les pantalons ou jupes qui ne sont pas boutonnés ou les pantalons de grossesse encore trop grands, pour soutenir le ventre à mesure qu'il grossit et pour masquer le nombril quand il se met à saillir. Pour les hauts, choisissez dans votre garde-robe ceux qui sont le moins ajustés. N'hésitez pas à emprunter à votre mari des vêtements dans lesquels vous serez à l'aise.

« C'est normal d'être très émotive quand on attend un bébé, mais comment lutter contre ça ? »

Encore un « désagrément » à mettre sur le compte des hormones ! Pendant les mois qui suivent la conception, les taux d'hormones (progestérone et œstrogènes notamment) augmentent considérablement, ce qui a des effets sur la chimie du cerveau et peut expliquer une émotivité excessive. Cette sensibilité particulière s'observe surtout au cours des premiers mois, puis à nouveau dans les semaines précédant l'accouchement et, souvent, après la naissance. Dites-vous simplement que ce changement de personnalité ou de tempérament est réversible.

« Je mérite bien d'être dorlotée avant l'arrivée de bébé, non ? »

La tendance est de plus en plus à « cocooner » les futures mamans – et c'est bien normal !

FAITES-VOUS AIDER À LA MAISON Pourquoi ne pas prendre une femme de ménage quelques heures par semaine ? Ou vous faire livrer vos repas de temps à autre en choisissant naturellement des menus équilibrés ?

OFFREZ-VOUS DES SOINS DE BEAUTÉ Rien de tel pour vous remonter le moral…

PRENEZ LE LARGE À DEUX Avec l'arrivée d'un bébé, difficile de prévoir quand vous et votre conjoint pourrez à nouveau passer du temps à deux. C'est donc le moment rêvé pour faire une escapade amoureuse.

OFFREZ-VOUS UN « ORGANISATEUR DE NAISSANCE » Il vous aidera à préparer la chambre de votre bébé, à organiser vos achats et même à envoyer les faire-part le moment venu. Regardez sur Internet pour avoir les coordonnées de prestataires.

ENGAGEZ UN PHOTOGRAPHE POUR SUIVRE VOTRE GROSSESSE Cela peut sembler saugrenu de prime abord ! Pourtant, la grossesse, surtout la première, est un événement majeur de la vie d'une femme, c'est aussi souvent une période d'épanouissement physique qui vaut la peine d'être immortalisé par un professionnel !

3e mois

Chapitre 4

quatrième mois

Un trimestre de passé !

Ça y est, le deuxième trimestre a commencé !

Le moment est venu de jouir des petits avantages qu'offre la grossesse, par exemple les gestes de courtoisie dont vous gratifient de parfaits inconnus ou la fierté d'arborer un adorable petit ventre rond. Vous n'allez pas tarder à retrouver votre énergie et vos esprits. Le risque de fausse couche est maintenant minime, alors allez-y : répandez la bonne nouvelle si vous aviez gardé le silence jusqu'à présent (dépêchez-vous avant que vos rondeurs ne vous trahissent).

Pense-bête

- Dormir sur le côté.

- Organiser le congé de maternité.

- Prendre rendez-vous chez le gynécologue pour l'examen mensuel et programmer l'échographie du 2e trimestre.

mot à maux...

"

J'ai la peau du ventre bien tendue !

mon petit ventre rond se remarque...

Je me sens (enfin) en forme !

J'AI LES GENCIVES QUI SAIGNENT.

Je crois que j'ai senti quelque chose bouger.

finies les nausées du matin !

IL FAUT QUE JE CHANGE MA GARDE-ROBE.

LÀ, JE COMMENCE VRAIMENT À PRENDRE DU POIDS.

Vos questions...

❚ Chez le gynécologue

« Qu'est-ce que le dosage des marqueurs sériques ? »

Il s'agit d'une prise de sang qui permet d'estimer le risque que le fœtus soit atteint de certaines maladies (trisomie 21 ou 18, anomalies du tube neural). Cet examen porte sur plusieurs substances présentes à la fois dans le fœtus et/ou le placenta et dans le sang maternel : l'œstriol non conjugué, l'hormone chorionique gonadotrophine (hCG) et l'alpha-fœtoprotéine (principalement).

Si votre gynécologue vous propose cet examen, il vous expliquera pourquoi.

Sachez que le résultat ne donne aucune certitude : il peut être anormal alors que le bébé est en parfaite santé et, à l'inverse, il peut être normal alors que le bébé souffre de

Il est gros comment ?

| 14ᵉ SEMAINE | 15ᵉ SEMAINE | 16ᵉ SEMAINE | 17ᵉ SEMAINE |
| Citron | Orange | Avocat | Oignon |

l'une des maladies recherchées. L'examen ne vise donc qu'à identifier un niveau de risque. Il ne répond pas par « oui » ou « non » à une question. Si le risque est élevé, votre gynécologue vous proposera une biopsie de trophoblaste ou une amniocentèse, deux examens qui permettent, eux, de diagnostiquer ces maladies ou anomalies. Le dosage des marqueurs sériques est généralement prescrit entre la 15ᵉ et la 20ᵉ semaine, parfois avant.

« Comment se déroule une amniocentèse ? »

L'amniocentèse est un examen au cours duquel un échantillon de liquide amniotique est prélevé dans la cavité utérine à l'aide d'une longue aiguille mince et creuse. Elle est effectuée sous contrôle échographique permanent (pour localiser le fœtus et le placenta). L'aiguille est insérée via l'abdomen et l'examen ne dure que quelques dizaines de secondes à quelques minutes. Rassurez-vous : la plupart des femmes ont plus peur que mal, car l'examen est impressionnant, mais peu douloureux. Le prélèvement est envoyé en laboratoire, où les cellules du bébé sont isolées du liquide, mises en culture pendant une dizaine de jours, puis examinées pour détecter d'éventuelles anomalies ou maladies (trisomie ou mucoviscidose, par exemple). L'analyse du liquide peut également permettre de détecter une anomalie de fermeture du tube neural (spina bifida) ou une infection (comme la toxoplasmose). Si cela vous intéresse, vous pourrez également connaître le sexe de votre bébé. Le délai pour obtenir les résultats est variable (il dépend des analyses effectuées), de quelques jours à trois semaines.

L'amniocentèse comporte un risque de fausse couche d'environ 0,5 %. Ce n'est donc

4ᵉ mois

pas un examen anodin. Votre gynécologue vous le proposera si vous avez plus de 38 ans ou si vous présentez un risque particulier (révélé par les examens précédents ou connu par les antécédents médicaux).

Si vous vous apprêtez à subir cet examen (vers la 15e-18e semaine de grossesse), assurez-vous que les praticiens (l'opérateur et l'échographiste) ont toutes les compétences requises pour ce geste. Votre gynécologue vous enverra certainement chez un spécialiste ou dans un centre spécialisé qu'il connaît, ce qui est déjà rassurant. Vous pouvez aussi vous renseigner sur le nombre d'amniocentèses pratiquées chaque année (l'expérience est déterminante pour ce type de geste technique) et sur le pourcentage de fausses couches enregistrées (mais vous aurez peut-être du mal à obtenir cette information !).

Appelez immédiatement votre gynécologue si vous avez de fortes contractions, si du liquide s'écoule de votre vagin ou si vous avez de la fièvre. Ces symptômes évoquent en effet une infection ou une fausse couche.

▌ Vos préoccupations

« À partir de quand vais-je sentir mon bébé bouger ? Et à quoi cela va-t-il ressembler ? »

Cela ne va pas tarder ! La plupart des primipares commencent à sentir leur bébé bouger entre la 16e et la 20e semaine. Si ce n'est pas votre premier bébé, vous allez peut-être le sentir plus tôt car vous savez déjà ce que c'est. Si le placenta est antérieur (à l'avant de l'utérus) ou que vous êtes en surpoids, vous ne le sentirez peut-être pas avant la

22e semaine. Certaines mamans ont l'impression de sentir comme des frôlements ou des bulles. Dans la mesure où le bébé dispose encore de beaucoup de place pour bouger, vous ne sentirez pas vraiment de coups de pieds ou de coups secs pour l'instant. En fait, la sensation est plutôt douce, comme une vaguelette, mais chaque femme l'éprouve différemment. Vous ne sentirez peut-être les mouvements de votre bébé que lorsque vous serez tranquillement assise ou allongée.

Et ne vous inquiétez surtout pas si vos amies les sentent plus tôt que vous – ces mouvements légers sont parfois difficiles à distinguer d'autres sensations comme les gaz intestinaux.

« Je n'ai plus de nausées matinales, je suis moins fatiguée et je n'ai pas vraiment la sensation d'être enceinte. C'est comme si je n'étais pas réellement enceinte ! »

Cette sensation est effectivement étrange. Au début, vous avez envie que tous ces symptômes désagréables disparaissent et, quand c'est enfin le cas, vous trouverez ça curieux. Heureusement, ce n'est pas parce que vous vous sentez bien que vous êtes moins enceinte.

Arrêtez de vous faire du souci et essayez de profiter de votre bien-être. Il n'y a rien d'anormal à ce que vous vous sentiez bizarre, surtout si vous avez à peine grossi ou si vous ne sentez pas encore le bébé. Mettez toute cette énergie à profit pour commencer à vous occuper de sa chambre, pour organiser votre congé de maternité ou pour ranger vos armoires. Débarrassez-vous d'un maximum de tâches tant que vous vous sentez bien.

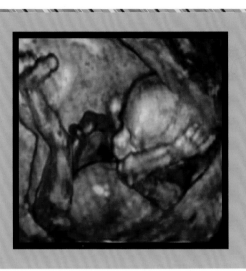

4e mois

Bébé se développe

- Il suce son pouce et remue les orteils.
- Il absorbe du liquide amniotique.
- Le foie, les reins et la rate continuent à se développer.
- Le corps se couvre de lanugo (duvet).
- Les articulations sont opérationnelles sur les quatre membres.
- L'ouïe commence à se développer.
- Les sourcils, les cils et les papilles gustatives se forment.
- Les empreintes digitales (des mains et des pieds !) se creusent.

« Est-ce que je vais avoir des vergetures ? Y a-t-il un moyen d'éviter leur apparition ? »

Les vergetures sont des marques qui apparaissent sur la peau du ventre, des fesses, des cuisses, des hanches, des seins chez plus de la moitié des futures mamans. Vous n'en verrez sans doute pas avant que votre peau ne commence à se tendre franchement, vers le 6e-7e mois. Le risque d'en avoir est plus important si vous prenez du poids très vite, mais les facteurs génétiques jouent aussi : si votre mère et/ou votre sœur en ont…, vous risquez malheureusement d'en avoir aussi. L'efficacité des laits, crèmes et huiles pour prévenir les vergetures n'est pas vraiment prouvée. Néanmoins, hydrater sa peau aide à préserver sa souplesse. Cela vaut donc la peine d'essayer. Ces produits atténuent aussi les démangeaisons qui accompagnent éventuellement l'étirement de la peau, ce qui

est déjà un bienfait en soi. Certaines futures mamans ne jurent que par telle ou telle crème spéciale « grossesse » achetée en parapharmacie. Quel que soit le produit, appliquez-le régulièrement dès maintenant pour préparer votre peau aux mois à venir. Faites-le après le bain ou la douche pour qu'il pénètre mieux. Un point positif : les vergetures devraient s'estomper (sans disparaître) dans les mois qui suivent l'accouchement. Si elles restent très visibles, parlez-en à votre dermatologue qui pourra vous proposer divers traitements pour les atténuer (peeling ou laser, par exemple).

▌Est-ce normal ?

« Je ne me sens pas attirante depuis que j'ai grossi et je suis gênée de faire l'amour avec mon mari. Est-ce normal ? »

C'est parfaitement normal. Votre corps subit des transformations énormes. Pas facile de s'y habituer et de ne pas être envahie de doutes quant à son pouvoir de séduction. Restez zen. Votre mari ne vous regarde pas avec les mêmes yeux. Il ne se focalise pas sur les kilos que vous prenez. Alors, prenez une grande inspiration, dites-vous qu'il vous aime et que vous êtes une extraordinaire future maman. Soyez encore plus coquette que d'habitude pour vous donner de l'assurance. Enfin – et le conseil est valable pour toutes les femmes enceintes –, ne prenez pas de kilos excédentaires. Maîtrisez votre alimentation (ne mangez pas deux fois plus) et maintenez une activité physique (dans la mesure où votre gynécologue est d'accord).

« Mon amie doit accoucher deux semaines après moi et elle a déjà un adorable petit ventre rond. Sur moi, on ne voit quasiment rien ! Mon bébé a peut-être un problème ? »

Non – le fait que la grossesse se voie tard n'a généralement rien à voir avec la taille du bébé. À partir du 4e mois, le gynécologue mesure chaque mois la hauteur utérine, qui donne une indication sur la croissance du fœtus. S'il vous dit que tout se déroule bien, vous n'avez pas besoin de vous faire du souci. Certaines femmes prennent tout simplement du ventre plus vite que d'autres. Dites-vous que vous avez plus d'abdominaux que votre amie (ne lui en parlez surtout pas !) et que vous allez profiter de votre garde-robe normale plus longtemps. Et dans peu de temps, vous aurez la joie de constater que votre ventre s'est brusquement arrondi.

« Mon ventre s'est contracté et il est devenu très dur après un orgasme. Dois-je m'inquiéter ? »

C'est normal : l'utérus se contracte toujours au moment de l'orgasme, mais comme il est maintenant plus gros, vous sentez davantage ses contractions.

Cela n'a aucune incidence sur le bébé et cela ne signifie pas que c'est le début du travail. Ne vous inquiétez pas, sauf si la contraction est particulièrement intense, qu'elle dure plus de quelques minutes, s'intensifie ou se transforme en une série de contractions. Si c'est le cas ou si vous observez un saignement rouge vif, appelez immédiatement votre gynécologue, car vous faites peut-être une fausse couche.

Mes cheveux sont devenus horriblement gras et j'ai le cuir chevelu complètement desséché. J'ai vraiment l'impression d'être revenue à la puberté.

« Mes cheveux sont affreux. Que puis-je faire ? »

Certaines femmes ont des beaux cheveux épais et brillants pendant leur grossesse. D'autres n'ont pas autant de chance. Les hormones n'agissent pas de la même façon sur tout le monde : les cheveux peuvent devenir gras, ternes ou cassants. Sans compter que des poils peuvent aussi se mettre à pousser ailleurs !

Veillez à avoir une alimentation équilibrée, qui vous apporte tous les nutriments et micronutriments dont vous avez besoin : des cheveux secs et fragiles qui tombent facilement peuvent être le symptôme d'une carence en fer, en iode ou en protéines. Utilisez un shampoing doux, adapté à votre problème (cheveux gras ou secs), évitez les

Checklist

« Que dois-je savoir sur mon congé maternité ? »

**Vous pouvez prendre rendez-vous avec un médecin du travail.
Consultez aussi la convention collective.**

4ᵉ mois

- Si vous passez des entretiens d'embauche, vous n'êtes pas obligée de signaler votre grossesse.

- Il n'y a pas de délai légal pour avertir son employeur (sauf au moment de votre départ en congé maternité).

- Avant votre congé maternité (et même si votre employeur est au courant), vous devez envoyer une lettre recommandée avec accusé de réception pour signaler votre départ et la durée de votre congé. Joignez un certificat médical attestant votre état. Vous pouvez aussi remettre ces documents en mains propres (contre décharge).

- Il est interdit de licencier une femme enceinte. Cette protection se poursuit pendant le congé maternité. À votre retour, vous devez pouvoir reprendre le poste que vous occupiez ou un poste équivalent.

- Vous avez le droit de vous absenter pour subir les examens obligatoires de suivi de la grossesse. Ces absences n'entraînent ni perte de salaire ni obligation de rattraper ses heures.

- Le médecin du travail peut demander un réaménagement de votre travail si ce dernier représente un danger pour votre grossesse (pénibilité, exposition à des produits toxiques...).

- Le congé maternité « basique » est de 16 semaines : 6 semaines avant la date prévue de l'accouchement et 10 semaines ensuite. Il est plus long en cas de grossesse multiple et à partir du 3ᵉ enfant. Il est assimilé à une période de travail (il compte pour l'ancienneté).

- En cas d'état pathologique, une période supplémentaire de congé prénatal (14 jours maximum) peut être accordé sur prescription médicale.

après-shampoings si vous avez les cheveux gras, mais appliquez un soin capillaire en prenant le temps de masser votre cuir chevelu pour activer la circulation. Si vous avez les cheveux particulièrement secs, essayez le soin à l'huile maison : enduisez-vous le cuir chevelu et les cheveux d'huile d'olive tiède et laissez poser une demi-heure environ sous un bonnet de douche avant de les laver.

« Pourquoi mes dents et mes gencives sont-elles aussi sensibles ? »

Là aussi, les changements hormonaux peuvent être à l'origine d'une fragilité des gencives et de saignements (lors du brossage des dents, par exemple), surtout au deuxième trimestre. Si vos gencives sont rouges, douloureuses et qu'elles saignent facilement, prenez rendez-vous avec votre dentiste (en lui précisant que vous êtes enceinte). Ces symptômes évoquent en effet une gingivite (inflammation des gencives), qui peut évoluer vers une pathologie plus grave, la parodondite (inflammation des structures qui assurent la fixation des dents) qu'il faut impérativement traiter car elle peut être à l'origine de complications (accouchement prématuré).

Pour prévenir ces problèmes, brossez-vous les dents (sans oublier les gencives) deux fois par jour, en terminant par un nettoyage au fil dentaire. Évitez les sucreries et veillez à consommer suffisamment de calcium. Optez éventuellement pour une brosse à dents plus souple.

Prenez les devants : voyez votre dentiste dans les premiers mois de votre grossesse à titre préventif, pour qu'il traite tous les facteurs susceptibles de s'aggraver dans les mois qui suivent. Les radiographies dentaires ne sont pas interdites pendant la grossesse, mais votre dentiste limitera quand même votre exposition aux rayons X ; de plus, certains médicaments antalgiques et antibiotiques sont contre-indiqués pendant la grossesse. Et ne vous inquiétez pas, vos gencives retrouveront vite leur bonne santé après l'accouchement.

▌ Est-ce dangereux ?

« Comment puis-je me soigner si j'ai un rhume ? »

Le rhume n'affecte pas le bébé, mais surveillez tout de même vos symptômes. Certains signes, qui paraissent banals en temps normal, comme un mal de tête, peuvent annoncer une complication. Si vous ne vous sentez pas bien, parlez-en à votre médecin. Et, surtout, appelez-le avant de prendre un médicament, quel qu'il soit, y compris ceux qui sont en vente libre, à base de plantes... Certains remèdes apparemment anodins comportent un risque pour le bébé. Et certains sont inoffensifs quand on les prend seuls, mais toxiques si on les associe à d'autres. Certains gynécologues donnent d'emblée aux futures mamans une liste de médicaments sans danger. Affichez-la sur votre réfrigérateur ou à un endroit bien visible.

« Quand dois-je commencer à dormir sur le côté ? Est-ce grave si je me mets sur le dos pendant mon sommeil ? »

Certains gynécologues conseillent de commencer à s'habituer à dormir sur le côté au début du deuxième trimestre ; plus

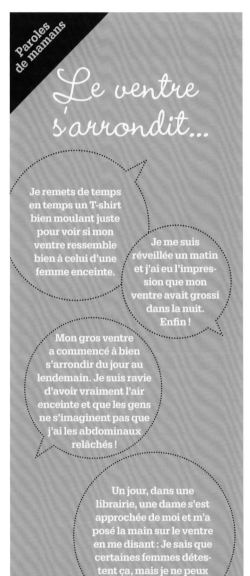

Le ventre s'arrondit...

Je remets de temps en temps un T-shirt bien moulant juste pour voir si mon ventre ressemble bien à celui d'une femme enceinte.

Je me suis réveillée un matin et j'ai eu l'impression que mon ventre avait grossi dans la nuit. Enfin !

Mon gros ventre a commencé à bien s'arrondir du jour au lendemain. Je suis ravie d'avoir vraiment l'air enceinte et que les gens ne s'imaginent pas que j'ai les abdominaux relâchés !

Un jour, dans une librairie, une dame s'est approchée de moi et m'a posé la main sur le ventre en me disant : Je sais que certaines femmes détestent ça, mais je ne peux pas m'en empêcher !

précisément, sur le côté gauche pour ne pas entraver la circulation sanguine en faisant pression sur la veine cave.

Le problème de la position dorsale (que vous dormiez ou non), c'est qu'elle fait reposer le poids du ventre sur la vessie et sur les vaisseaux sanguins (ce qui oblige le cœur à travailler davantage). Il ne faut pas non plus que cela vous angoisse : on change inconsciemment de position en dormant et la plupart des médecins vous diront qu'il n'est pas grave de se réveiller de temps en temps sur le dos. De plus, votre corps est en principe à même de vous signaler que quelque chose ne va pas (vous vous réveillez).

Si vous n'arrivez pas à trouver de position confortable, essayez de vous caler contre des oreillers ou un traversin. Vous pouvez aussi acheter des oreillers spécialement destinés à la grossesse, qui soutiennent à la fois la tête, le dos, les hanches et le ventre. Prévenez tout de même votre mari : il risque d'avoir moins de place dans le lit !

4e mois

« Est-ce risqué de manger des aliments qui ont traîné hors du réfrigérateur ou des restes ? »

La règle de base, c'est de ne jamais laisser des plats à température ambiante. La cuisson détruit les germes et le froid les empêche de se multiplier. Dans la mesure où les femmes enceintes sont particulièrement vulnérables aux bactéries, évitez de consommer des préparations – froides ou chaudes – restées sur un plan de travail ou dans une vitrine non réfrigérée pendant plus de deux heures. Soyez particulièrement vigilante à l'extérieur, dans les restaurants à l'hygiène un peu douteuse. Optez pour les valeurs sûres : pain, légumes bien cuits, fruits à éplucher. Si vous avez envie d'un plat de viande, de volaille ou de poisson, demandez à ce qu'il soit cuit suffisamment longtemps (à cœur) pour détruire les bactéries éventuellement présentes. Quant aux restes, conservez-les au réfrigérateur et réchauffez-les bien.

« Quels exercices physiques faut-il éviter au deuxième trimestre ? »

Évitez de rester allongée sur le dos – cela peut diminuer la vascularisation du placenta. Continuez d'être à l'écoute de votre corps et renoncez, comme au début de la grossesse, aux sports de contact et à tout ce qui présente un risque de chute ou de blessure. Attendez d'avoir accouché pour reprendre le ski ou le parachute...

« J'ai prévu un voyage en avion de plusieurs heures. Est-ce que cela pose un problème ? »

Si votre grossesse se passe bien, non ! Pendant le vol, pensez à vous lever de temps en temps pour marcher un peu et éviter ainsi le risque de phlébite (caillot qui se forme dans une veine profonde des membres inférieurs). Le risque de phlébite est accru chez la femme enceinte au dernier trimestre (et après l'accouchement) en raison de plusieurs facteurs, notamment une compression des gros vaisseaux sanguins par l'utérus et une coagulation plus importante (l'organisme a naturellement tendance à prévenir les saignements importants pendant l'accouchement). Buvez également beaucoup d'eau pour éviter de vous déshydrater. Les gynécologues autorisent généralement leurs patientes à voyager assez tard dans la grossesse (32e-36e semaine). Après, vous prenez le risque d'accoucher en vol.

« J'ai un travail très stressant. Le stress peut-il avoir des conséquences néfastes sur mon bébé ? »

Le stress n'est jamais bon pour le bébé. Des études suggèrent qu'il pourrait contribuer à déclencher prématurément l'accouchement et que les bébés ayant subi un stress maternel *in utero* ont plus de risques d'avoir des problèmes de santé chroniques plus tard.
Cela dit, le stress fait partie de notre vie, et ce n'est que l'un des nombreux facteurs qui influent sur le bon déroulement de la grossesse. La dernière chose à faire, c'est de stresser les futures mamans avec leur stress. Quant au surmenage professionnel, réfléchissez à la manière dont vous pouvez alléger votre charge de travail. L'heure est au bouclage des dossiers, ce n'est pas le moment d'en prendre de nouveaux car le congé de maternité approche. Par conséquent, commencez à déléguer et terminez les chantiers en cours. Si vous avez la possibilité de passer à temps partiel, pensez-y.
Certaines méthodes peuvent vous aider à gérer le stress : relaxation, yoga prénatal, aide psychologique, cours de gestion du stress. Le simple fait de vous plonger dans un livre passionnant ou de vous installer confortablement dans le canapé pour regarder votre série préférée peut suffire à vous libérer d'une anxiété générée par votre travail. Et n'oubliez pas de garder du temps pour faire un peu d'exercice (idéal pour se changer les idées). Mangez plus souvent, mais peu et équilibré, tout au long de la journée. Plus votre corps ira bien, plus il sera en mesure de bien gérer les sources de stress.

« Que puis-je grignoter dans la journée et faut-il vraiment manger plus pendant la grossesse ? »

Excellente question ! Pendant la grossesse, les besoins caloriques ne sont que légèrement supérieurs (300 kcal en plus). L'essentiel est de manger sain : limitez au maximum les aliments très gras, très salés ou très sucrés.

des crudités, comme la carotte, le céleri ou les tomates (lavez-les au préalable)

du jus de fruit ou des smoothies, à raison d'environ 250 ml par jour (1 verre)

une pomme de terre au four, nappée de yaourt nature et de ciboulette, comble facilement un petit creux

des fruits comme la banane, consistante et pratique pour une collation

4ᵉ mois

du fromage blanc, excellent pour accompagner les fruits frais (et source de calcium)

les fruits secs et les fruits à coque sans sel ajouté font de saines collations (attention aux calories)

une boule de sorbet pour se faire plaisir sans excès calorique

les popcorns pour une collation gourmande (en petite quantité)

des céréales complètes ou un morceau de pain tout simplement

des tortilla chips et de la salsa pour se faire plaisir (en petite quantité)

l'avocat, sain et pratique pour une collation

une gaufre pour se faire plaisir de temps en temps

▌ Au quotidien

« Faut-il absolument boire du lait pour absorber assez de calcium ? »

Non, vous pouvez très bien trouver du calcium ailleurs, en particulier dans les produits laitiers : yaourt, fromage blanc, petit-suisse, laits fermentés, fromages. Une femme enceinte a besoin d'environ 1000 mg de calcium par jour afin que le fœtus puisse « fabriquer » ses os sans puiser dans vos réserves. Avec un yaourt au petit déjeuner et un autre au goûter, 30 g de fromage (emmental, par exemple) au déjeuner et un bol de fromage blanc au dîner, vous couvrez déjà 70-80 % de vos besoins ! Le reste est fourni par les légumes, les légumineuses, le persil, le poisson, les fruits secs…

« J'en ai assez de boire de l'eau. Que puis-je boire d'autre ? »

L'eau est sans conteste le meilleur moyen de s'hydrater, et elle doit rester votre boisson de base tout au long de la grossesse. Mais, pour parvenir à la quantité de liquide à absorber si possible chaque jour (environ 1,5 litre), pensez aussi aux fruits très riches en eau (90 % d'eau dans la pastèque), aux infusions, aux jus de fruits. Les sodas et autres boissons sucrées ne sont pas interdits : méfiez-vous simplement de l'apport calorique, y compris dans les jus de fruits et les eaux

---

DÉBAT

Alcool et grossesse : tolérance 0 ?

Abstinence totale

« Le cerveau, notamment, est très sensible aux effets de l'alcool et cela, à tous les stades de la grossesse. Jusqu'à récemment, les médecins donnaient des consignes de modération (pas plus d'un verre par jour). Or, on sait quand même qu'une très faible quantité d'alcool peut nuire au bébé. » *Dr. Susan D. Rich*

Modération

« Aucune donnée ne permet de dire qu'une consommation très raisonnable peut provoquer un syndrome d'alcoolisme fœtal. Ce qui veut évidemment dire que ce n'est pas exclu. Mais on n'a aucune certitude. Si les excès (chroniques ou occasionnels) sont naturellement à proscrire, un verre de vin de temps en temps (pas tous les jours) ne peut pas nuire. De plus, pour certaines femmes, les conseils de modération sont plus faciles à respecter qu'une renonciation complète. » *Dr. Mary Jane Minkin*

aromatisées. Gardez toujours à l'esprit les bienfaits de l'eau. Elle est l'élément constitutif du liquide amniotique, elle participe à la formation du sang et des tissus, transporte les nutriments, aide à lutter contre la constipation, permet d'éliminer les déchets et les toxines (les vôtres et ceux du bébé), réduit le risque d'infection urinaire... Allez, encore un petit coup !

« Je suis végétarienne. Est-ce que je peux poursuivre mon régime sans problème pour mon bébé ? »

Oui, à condition de veiller à consommer suffisamment de protéines complètes. Les végétariens savent comment associer les aliments pour obtenir des protéines complètes (dans la viande, les œufs, le poisson). Les plats combinant céréales (riz, pâtes, maïs, pain...) et légumineuses (haricots secs, lentilles, petits pois, pois chiches) sont recommandés. Lorsque le régime est très restrictif (pas d'œuf, pas de lait), des carences sont possibles et le médecin peut être amené à prescrire des compléments : vitamine B12, zinc, fer, acides gras oméga 3, vitamine D et calcium.

« Je veux cacher encore un peu ma grossesse. »

Plus votre ventre grossit, plus cela va devenir difficile mais voici quelques astuces qui vous aideront peut-être.

- Portez du noir – c'est la couleur idéale pour masquer les formes (bien utile aussi quand vous aurez accouché !).
- Superposez plusieurs couches pas trop

ajustées. Une veste sur un haut noir vous aidera à camoufler votre ventre pour aller travailler.
- Mettez une écharpe autour de votre cou et nouez-la de façon lâche pour masquer votre poitrine et votre ventre.
- Faites en sorte que les gens regardent plutôt le haut de votre corps, en mettant un rouge à lèvres de couleur vive, de grosses boucles d'oreilles ou un énorme collier. À l'inverse, évitez tout ce qui focalise le regard sur votre ventre : vêtements ceinturés ou s'attachant au-dessus du ventre, hauts près du corps ou de couleur vive.

Et si d'aventure, vous changez d'avis et cherchez à afficher fièrement votre grossesse, faites imprimer « Bébé à bord », « J'attends un bébé » ou « Prévu pour février » sur un T-shirt.

4e mois

« Comment et quand annoncer à mon patron que je suis enceinte ? »

Il n'y a pas de règle officielle, mais la plupart des femmes attendent la fin du premier trimestre, une fois le risque de fausse couche presque écarté. Parmi les stratégies possibles, vous pouvez attendre d'avoir achevé une mission précise – pour bien montrer que votre état n'affecte en rien votre efficacité et que vous avez l'intention de continuer à vous investir jusqu'à votre congé maternité.

Avant d'en parler, cernez bien vos responsabilités et suggérez des solutions pour qu'elles soient assumées par quelqu'un d'autre pendant votre absence. Votre patron accueillera la nouvelle avec davantage d'enthousiasme s'il sait que vous maîtrisez bien la situation.

Chapitre 5

cinquième

Des rondeurs qui s'affichent !

mois

Le moment le plus agréable de la grossesse débute !

Ce mois-ci, votre ventre va prendre de l'ampleur. Vos vêtements de maternité vont aussi mieux vous aller. Vous devrez peut-être vous racheter des chaussures parce que vos pieds ont tellement gonflé que vous avez pris une demi-pointure. Si vous n'aviez pas encore senti votre bébé bouger, ce sera le cas d'un jour à l'autre. Vous allez certainement pouvoir apercevoir son petit minois lors de l'échographie du deuxième trimestre. À l'occasion, vous découvrirez (si vous le souhaitez) si c'est un garçon ou une fille.

Pense-bête

- Programmer l'échographie du deuxième trimestre.
- Faire une liste de naissance ou d'achats.
- Penser à l'aménagement de la chambre de bébé.
- Sélectionner des prénoms.
- S'inscrire dans une maternité.

mot à maux…

J'ai la peau toute sèche.

C'est une fille !

J'ai grossi des pieds !

Finalement, mon ventre a dépassé mes seins…

Je n'arrête pas de manger.

Orange, c'est une couleur fille ou garçon ?

JE M'ESSOUFFLE VITE.

JE RÊVE OU IL M'A VRAIMENT DONNÉ UN COUP DE PIED !

J'ai mal au dos.

SOS ! J'ai des crampes !

Vos questions...

▌ Chez le gynécologue

« Comment va se dérouler l'échographie du deuxième trimestre ? »

La deuxième échographie a lieu entre la 18ᵉ et la 22ᵉ semaine. Elle est très importante pour vérifier que le bébé se développe normalement. L'examen se déroule comme pour la première échographie : vous vous allongez sur le dos, l'échographiste vous applique du gel sur le ventre et il fait glisser une sonde sur votre peau. Le bébé apparaît alors à l'écran. Vous allez pouvoir le voir longuement car le praticien va passer beaucoup de temps à vérifier sa position, sa respiration, son rythme cardiaque, ses mouvements, l'emplacement du placenta, la quantité de liquide amniotique... Il va aussi prendre toutes sortes de mesures pour vérifier qu'il

« Qu'est-ce qu'un placenta prævia ? »

Il s'agit d'une anomalie rare de l'emplacement du placenta : au lieu de se trouver au fond de l'utérus, le placenta vient obturer totalement ou partiellement le col de l'utérus. Presque tous les cas de placenta prævia sont aujourd'hui détectés de façon précoce, soit au cours de l'échographie du deuxième trimestre, soit après des saignements lors du deuxième ou du troisième trimestre. Si votre placenta présente cette anomalie, informez-en les praticiens que vous verrez au cours de votre grossesse, y compris votre médecin généraliste. Ils éviteront tout examen vaginal (si vous vous posez la question, eh bien oui, cela veut dire que les rapports sexuels sont interdits aussi). La bonne nouvelle, c'est que le placenta peut remonter au cours des mois

5ᵉ mois

Il est gros comment ?

18ᵉ SEMAINE	19ᵉ SEMAINE	20ᵉ SEMAINE	21ᵉ-24ᵉ SEMAINE
Pomme de terre	Mangue	Melon	Papaye

qui suivent. En fait, dans la plupart des cas, il libère le passage vers le col de l'utérus bien avant l'accouchement. Votre gynécologue fera certainement plusieurs échographies pour s'assurer de sa position. Si le placenta reste trop

n'y a pas d'anomalie visible. Et puis – si cela vous intéresse et que votre bébé se montre coopératif – il pourra vous révéler son sexe (vous allez pouvoir faire du shopping !). L'échographiste vous remettra un compte-rendu et vous repartirez avec les premières « photos » de votre bébé. Avec un peu de chance, vous obtiendrez un beau cliché de son petit visage.

près du col de l'utérus dans les derniers mois de la grossesse, il vous recommandera peut-être le repos ou vous donnera des consignes pour éviter les saignements. Sachez que si le placenta est toujours en mauvaise position à la fin de la grossesse, une césarienne sera programmée avant que votre col se dilate pour éviter des complications aussi graves pour vous que pour votre bébé.

« **Qu'est-ce qu'un placenta antérieur ?** »
« Antérieur » signifie que le placenta est placé à l'avant de l'utérus, tout près de l'extérieur de votre ventre, et non à l'arrière (« postérieur »), ce qui est le cas le plus fréquent. En général, cela n'implique rien de grave. Hormis le fait qu'une éventuelle amniocentèse est un peu plus difficile à réaliser, cela ne constitue pas une menace pour vous et votre bébé. Une surveillance un peu plus étroite est néanmoins instaurée dans certains cas.

« **Que penser des échographies 3D-4D ?** »
Ces échographies peuvent être intéressantes en tant qu'outil au service du corps médical, pour faciliter la détection des malformations (et aider les parents à comprendre de quoi il s'agit) car, par rapport à l'échographie 2D classique, elles donnent une image plus nette et en volume. En revanche, la plupart des gynécologues mettent les futures mamans en garde contre les pratiques commerciales liées à ces échographies. De nombreuses sociétés proposent en effet leurs services pour réaliser des clichés « souvenirs » *in utero*. L'échographie est avant tout conçue pour apporter un diagnostic médical, et ces officines ne sont généralement pas en mesure de répondre à vos interrogations. Qui plus est, même si les ultrasons sont considérés comme sans danger pour le fœtus, il est recommandé, par précaution, de ne pas soumettre inutilement le fœtus à ce type d'examen.

> **Nous ne voulions pas connaître le sexe de notre bébé avant l'accouchement. Mais l'échographe a fait une gaffe en nous disant, à mon mari et à moi : « Regardez : elle est en train de sucer son pouce ! ».**

▌Vos préoccupations

« **Que répondre aux gens qui me demandent combien de kilos j'ai pris ?** »
C'est drôle de voir à quel point cette question intéresse les gens ! Si vous n'avez pas envie de leur répondre, restez évasive. Voici quelques phrases pour vous y aider.

- « Oh, bien assez ! Je suis sûre que ce bébé adore le chocolat. »
- « Jusque-là, tout va bien. Pour le médecin, je suis pile poil dans la norme. »
- « Pas autant que j'aurais cru. Les cours de yoga m'aident certainement. »
- « Je crois qu'il a bien grossi : il a déjà commencé à donner des coups de pied ! »

Résistez à l'envie de répliquer « Et toi ? tu as pris du poids, non ? Combien ? » C'est tentant, mais ça ne serait pas très gentil.

« **Est-ce que je retrouverai un jour mon corps d'avant ?** »
Pas exactement. Mais ce n'est pas un problème. Le corps est conçu pour s'étirer et être tiraillé. La peau de votre ventre ne sera certainement plus aussi ferme qu'avant et il est possible que vous gardiez quelques vergetures. Mais vous allez sans doute y gagner quelques rondeurs très sexy. Prenez soin de vous jusqu'au bout de la grossesse. Si vous faites un peu d'exercice et que vous ne dépassez pas la prise de poids préconisée pour votre corpulence, vous aurez beaucoup moins de mal à retrouver la forme et à perdre les kilos de la grossesse après la naissance de votre bébé. Votre corps se sera modifié durant 9 mois. Il lui en faudra sans doute encore 9 à 12 pour revenir au point de départ.

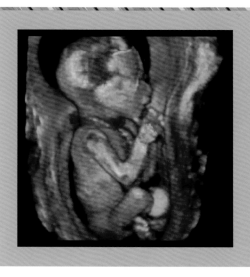

Bébé se développe

- Il bâille et il a le hoquet. Il tète et déglutit.
- Il donne des coups de pied.
- Il fabrique du méconium (1res selles).
- Sa peau est enduite de *vernix caseosa* (une matière gluante et blanchâtre).
- L'appareil génital est presque formé.
- Les papilles gustatives fonctionnent.
- Les paupières et les sourcils sont formés.
- Les ongles des mains et des pieds ont poussé.

5ᵉ mois

Est-ce normal ?

« Pourquoi ma peau me démange-t-elle ? Que faire ? »

Votre corps s'étire pour s'adapter à la croissance du bébé. La peau se tend et se dessèche, ce qui provoque des démangeaisons, surtout sur le ventre et les seins. Pour les apaiser, portez des vêtements confortables, si possible en coton, choisissez des savons non parfumés et, surtout, hydratez votre peau chaque jour avec un lait, une crème ou une huile pour le corps. Appliquez le produit après la douche, quand votre peau est encore humide, pour qu'il pénètre mieux. Essayez aussi le bain avec une poudre à l'avoine colloïdale, qui soulage les démangeaisons et adoucit la peau (vous pourrez vous en resservir pour votre bébé s'il a la peau irritée). Évitez de prendre des douches ou des bains trop chauds, qui dessèchent encore plus la peau. Si vos démangeaisons sont importantes, persistent ou s'étalent sur tout le corps, consultez votre médecin.

« Mon compagnon n'a pas encore réussi à sentir le bébé bouger. Qu'est-ce que je peux faire pour qu'il le sente ? »

Il faut généralement attendre un peu pour que les « coups » puissent être perçus de l'extérieur. En principe, cela se produit entre la 20ᵉ et la 30ᵉ semaine. Une fois que vous avez commencé à sentir les petits genoux ou les petits coudes saillir à la surface de votre ventre, prévenez votre compagnon quand votre bébé est particulièrement actif, par exemple le soir quand vous vous couchez. Installez-vous l'un contre l'autre et posez sa main sur votre ventre ; à un moment ou à un autre, il finira bien par sentir un petit coup !

« Personne ne m'avait dit que j'allais avoir des varices ! Que faire ? »

La grossesse entraîne une dilatation des veines, une augmentation du volume de sang et, surtout, une prise de poids abdominale (l'utérus qui grossit) qui gêne le retour du sang vers le cœur. Le sang s'accumule dans les zones soumises à la pression maximale, c'est-à-dire vos jambes, mais aussi votre vulve et votre rectum. Résultat, les veines gonflent et se transforment en varices (ou en hémorroïdes). Ça, c'est la mauvaise nouvelle. La bonne, c'est qu'à part quelques élancements de temps en temps, les varices sont assez indolores et disparaissent en principe après l'accouchement. Pour éviter qu'elles grossissent (ou, pour commencer, qu'elles apparaissent) et pour limiter la sensation de lourdeur dans les jambes qui relève des mêmes facteurs, il faut que votre sang circule bien. Surélevez vos jambes le plus souvent possible, faites de l'exercice, ne restez pas trop longtemps debout immobile, évitez les bottes serrées, portez des bas de contention si votre médecin vous le recommande et essayez de dormir sur le côté gauche pour que votre utérus n'appuie pas sur la veine cave (grosse veine située sur le côté droit).

« J'ai l'impression d'avoir un troisième mamelon qui a poussé depuis que je suis enceinte. Est-ce possible ? »

Pour faire court, oui, mais il était sans doute déjà là avant. Les modifications subies par les tissus mammaires l'ont simplement rendu plus visible. Ne vous inquiétez pas, vous n'êtes pas un monstre pour autant – cela n'a rien de vraiment anormal, même si cela fait bizarre.

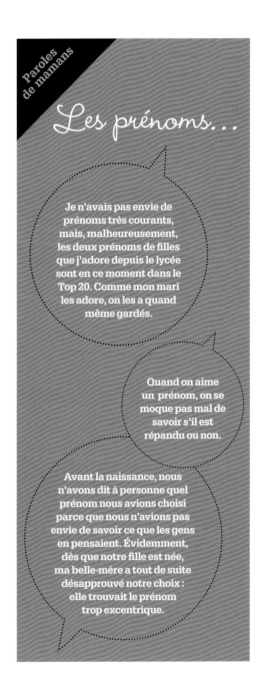

Paroles de mamans

Les prénoms…

Je n'avais pas envie de prénoms très courants, mais, malheureusement, les deux prénoms de filles que j'adore depuis le lycée sont en ce moment dans le Top 20. Comme mon mari les adore, on les a quand même gardés.

Quand on aime un prénom, on se moque pas mal de savoir s'il est répandu ou non.

Avant la naissance, nous n'avons dit à personne quel prénom nous avions choisi parce que nous n'avions pas envie de savoir ce que les gens en pensaient. Évidemment, dès que notre fille est née, ma belle-mère a tout de suite désapprouvé notre choix : elle trouvait le prénom trop excentrique.

Au quotidien

« C'est un garçon ! Est-ce qu'on doit le faire savoir autour de nous ? »

Difficile de se retenir de révéler le sexe de son bébé ! Voici quelques idées amusantes pour l'annoncer.

• Achetez un body rose ou bleu portant l'inscription « J'aime Mamie » (ou Papi) et offrez-le à vos parents ou beaux-parents.
• Arborez un t-shirt de maternité avec une inscription sans équivoque (« C'est un garçon ! » ou « C'est une fille ! »).
• Invitez votre entourage à voir la vidéo de l'échographie et à deviner le sexe du bébé.

« Comment puis-je évaluer l'évolution de mon ventre ? »

Chaque mois, avec un mètre de couturière, le gynécologue mesure la hauteur de votre utérus, c'est-à-dire la distance entre le haut de l'os pubien et le haut du fond de l'utérus. Vous aurez du mal à le faire vous-même chez vous ! Il faut de l'expérience pour faire la différence entre le haut de l'utérus et tout ce qui se trouve à l'intérieur de l'abdomen ! Qui plus est, il y a des méthodes bien plus amusantes pour suivre l'évolution de vos rondeurs ! Prenez une fois par semaine une photo de vous de profil (au même endroit et dans des vêtements moulants). Collez-les ensuite dans un petit album ou faites un diaporama sur votre ordinateur. Vous serez étonnée de voir votre transformation progressive, et vous garderez un souvenir de votre grossesse.

> J'ai envie que tout le monde voit mon ventre, alors je mets de temps en temps des hauts très moulants !

Vous pouvez aussi faire comme certaines mamans qui suivent l'évolution de leur ventre en mesurant toutes les semaines leur tour de taille et en reportant le chiffre dans un album (journal de grossesse ou livre de bébé). Attention, dans les semaines qui viennent, la progression va être fulgurante !

« Quelle taille choisir pour la garde-robe de naissance de mon bébé ? »

En dehors des estimations faites par le gynécologue (qui peuvent s'avérer totalement erronées), il n'y a aucun moyen de savoir quelle taille fera le bébé à la naissance. Certaines mamans se retrouvent avec des piles de vêtements qui seront à peine portés, tandis que d'autres ont une pleine armoire de vêtements beaucoup trop grands pour leur bébé. Même si vous pensez que vous allez accoucher d'un pilier de rugby, achetez quelques vêtements de taille naissance (ils sont généralement conçus pour des bébés de 3,5 kg et 50 cm). Prévoyez aussi des vêtements de taille 1 mois (4 kg / 54 cm), et même 3 mois (5-6 kg / 60 cm) au cas où votre bébé grossirait particulièrement vite. Et si vous vous retrouvez avec une petite crevette ? Vous pourrez toujours demander à votre mari ou aux grands-parents d'aller vous acheter des vêtements de taille poids plume (2,5 kg / 45 cm, voire moins). Si vous attendez des jumeaux ou si vous risquez d'accoucher prématurément, prévoyez quelques pyjamas dans ces tailles.

5e mois

« À partir de quel moment faut-il commencer à faire une liste et/ou à commander la layette et l'équipement ? »

Si ce n'est pas encore fait, commencez maintenant. Vous avez encore le temps de bien réfléchir à ce que vous voulez et de chercher dans les boutiques, les catalogues ou sur Internet. Si vous commandez des vêtements, faites attention à la saison : un bébé qui naît en été n'a pas besoin de vêtements d'hiver tout de suite ! Reportez-vous à la liste proposée page 81. Pensez aussi à tout ce que vous pouvez emprunter à vos amies et à votre famille : autant éviter d'acheter une poussette, un lit à barreaux ou une table à langer si vos proches peuvent vous prêter tout ce matériel (en bon état).

« Est-ce choquant de faire une liste de naissance ? »

Non, bien au contraire ! Les gens ne sont pas obligés de la consulter, mais elle peut donner des idées à ceux qui n'en ont pas. Et tant qu'à faire, autant que les cadeaux que vous allez recevoir pour votre bébé vous plaisent. La liste de naissance n'est pas forcément entrée dans les mœurs, alors attendez-vous à recevoir aussi des cadeaux que vous n'avez pas choisis. Certaines personnes ont à cœur de choisir personnellement leur cadeau. Faites aussi preuve de finesse : mentionnez uniquement l'existence de cette liste auprès de ceux qui vous posent la question.

« Nous hésitons sur le choix du parrain et de la marraine. Quels sont les critères importants ? »

Il y a d'abord les conditions liées au baptême catholique (même si certaines paroisses sont très souples à cet égard) : le parrain et la marraine doivent avoir plus de 16 ans, être baptisés et confirmés. Ensuite et surtout, votre choix doit se porter sur des personnes (amis ou membres de votre famille) que vous aimez, en qui vous avez confiance et avec lesquelles vous êtes certains d'entretenir des relations à long terme. Des personnes rencontrées depuis peu, que vous voyez souvent pour des raisons conjoncturelles (voisins, collègues de bureau…) ne sont pas forcément les meilleures options même si c'est précisément avec elles que vous partagez le plus votre quotidien. À l'inverse, un ou une ami(e) d'enfance qui vit à 6 000 kilomètres de vous ou qui a déjà trois autres filleuls risque de ne pas être un parrain ou une marraine très disponible ou investi(e). Réfléchissez, puis annoncez vos choix en les assumant et en les justifiant car certains proches peuvent être vexés de ne pas avoir été désignés…

« Nous n'arrivons pas à nous mettre d'accord sur un prénom ! Où trouver des idées ? »

Vous pouvez feuilleter les livres de prénoms ou chercher des idées sur Internet (des sites proposent des outils de recherche). Vous pouvez aussi garder les yeux et les oreilles grands ouverts tout au long de la journée et noter ce qui vous plaît. Lisez les génériques des films et les légendes des photos dans les magazines et écoutez les gens quand vous êtes dans une file d'attente (faites-le discrètement). Je connais une maman qui a épluché le carnet d'adresses e-mail de sa société, une compagnie internationale, pour chercher l'inspiration, et une autre qui a

Vert

Le vert serait la première couleur que le bébé distingue. Il a un effet apaisant. Choisissez un vert tilleul si vous aimez les couleurs pâles.

Orange

Cette couleur très tendance est à la fois chaude et conviviale. Elle convient aussi bien à une chambre de fille qu'à une chambre de garçon.

« Est-ce que je peux peindre la chambre de mon bébé ? »

Tout dépend du sens de votre question. Si vous voulez que la chambre de votre bébé soit peinte, pas de problème. En revanche, si vous voulez la peindre vous-même, c'est non. Vous pourriez vous retrouver avec un mal de dos terrible à force de faire des mouvements répétitifs. Qui plus est, il est déconseillé aux femmes enceintes de respirer les vapeurs souvent toxiques émises par la peinture fraîche. Quelle que soit la personne qui peint, prenez quelques précautions. On trouve aujourd'hui des peintures sans COV ou à faible teneur en COV (COV signifie « composés organiques volatils »). Mais, si cette alternative vaut mieux qu'une peinture traditionnelle, rien ne dit qu'elle soit totalement inoffensive. Alors ouvrez les fenêtres en grand. Soyez particulièrement prudente si la construction et la décoration de votre logement sont antérieures à 1948, date à laquelle les peintures au plomb ont été interdites.

Jaune

Le jaune vif est excitant et parfois trop intense. Pour une chambre de bébé, préférez-lui un jaune paille moins lumineux.

Violet

Les couleurs froides comme le bleu et le violet sont réputées apaisantes. Pour apporter une touche de gaieté, associez un violet pâle à une couleur située à l'opposé du cercle chromatique, comme le vert. Osez les contrastes en jouant sur les accessoires.

La chambre de bébé

Table à langer
Vous pouvez transformer n'importe quelle commode en table à langer. Il vous suffit de visser un cadre tout autour du plateau et de poser un matelas de change dessus.

Lit à barreaux
Choisissez un matelas ferme qui soit surtout très bien ajusté à la taille du lit.

Poubelle Oubliez les poubelles sophistiquées et optez plutôt pour une petite poubelle classique.

Sol Les projections et les salissures sont inévitables. Par conséquent, choisissez un sol résistant et ajoutez éventuellement des petits tapis (à éviter néanmoins dans les familles d'allergiques).

parcouru toutes les étagères de la librairie de son quartier pour trouver un prénom d'auteur original. Si vous n'avez pas d'idée, installez-vous tous les deux et inscrivez sur une feuille tous les prénoms qui vous passent par la tête (celui de votre arrière-grand-père, de l'adorable petit garçon de la voisine, d'une actrice célèbre et jolie...). Vous avez encore quelques mois devant vous – certains parents prennent la décision finale le jour de l'accouchement. Prenez votre temps et trouvez un prénom qui se marie bien avec le nom de famille.

« Nous voulons garder le secret du prénom jusqu'à l'accouchement, mais les gens n'arrêtent pas de nous demander ce qu'on a choisi. »

Une phrase du genre « On n'arrive pas à se décider » est préférable à « On ne veut pas le dire », ne serait-ce que parce qu'elle n'appelle aucune question en retour, à savoir « Pourquoi ? ». Si vous avez déjà expliqué à quelqu'un que vous ne voulez pas révéler le ou les prénoms sélectionné(s) et qu'il vous répond (ce qui est souvent le cas) « Allez, à moi, tu peux bien le dire », expliquez-lui que vous avez hâte de présenter le bébé à tout le monde, et changez de sujet. Si vous tenez vraiment à votre décision et que vous ne donnez pas l'impression de vouloir céder, votre entourage abandonnera vite la partie.

« Quel est le bon moment pour commencer à installer la chambre du bébé ? »

La plupart des femmes enceintes attendent le deuxième trimestre car c'est le moment de la grossesse où l'on se sent le mieux. Et si vous connaissez le sexe de votre bébé, vous imaginerez peut-être plus facilement la décoration de sa chambre. Faites repeindre la pièce (si nécessaire) et choisissez l'essentiel du mobilier. Si vous devez le commander, tenez compte du délai de livraison et, éventuellement, du montage des meubles (ne le faites pas vous-même). Prenez les mesures de la pièce pour être certaine que tout ce que vous achèterez rentrera bien dedans.

« Quelles précautions dois-je prendre pour voyager confortablement et sans risque ? »

Dans la mesure où vous vous sentez assez bien dans l'ensemble, le deuxième trimestre est le moment idéal pour voyager, à condition toutefois de prendre quelques précautions. Voici quelques conseils qui vous aideront à voyager en toute sécurité et en étant confortablement installée.

5e mois

- Une bonne circulation sanguine est essentielle. Levez-vous et marchez un peu au minimum toutes les heures, remuez ou massez vos jambes régulièrement quand vous êtes assise (même chose, quel que soit le moment de la grossesse, quand vous restez assise longtemps). Activer la circulation sanguine limite le risque de formation de varices, de thrombose et d'œdème au niveau des pieds et des chevilles.
- Attachez votre ceinture en faisant passer la partie horizontale sur votre bassin plutôt qu'au niveau du nombril, par exemple. Sachez que même si vous êtes enceinte, le port de la ceinture en voiture est obligatoire !
- Surélevez vos pieds pour aider le sang à circuler. Si vous prenez l'avion et que vous ne

Paroles de mamans

Un corps qui change

Je me sens particulièrement sexy en ce moment : c'est la première fois que j'ai d'aussi jolis seins et l'arrondi de mon ventre est plutôt harmonieux !

Je craignais d'avoir le visage boursouflé avec le fameux « masque de grossesse ». Finalement, tout le monde me dit que j'ai un teint et une peau magnifiques en ce moment.

D'ordinaire, je suis assez obnubilée par mon poids. Là, je me lâche, je ne me prive plus… malgré les avertissements de mon gynécologue.

disposez pas d'un repose-pieds, posez vos pieds sur un siège libre si vous le pouvez.
• Évitez la déshydratation en buvant beaucoup (pas de caféine !).
• En avion, demandez si possible un siège côté couloir. Vous pourrez aller et venir plus facilement sans déranger votre voisin.
• Emportez un petit coussin pour soutenir le bas de votre dos. En voiture, repoussez votre siège le plus loin possible vers l'arrière pour pouvoir étendre vos jambes. Et bien sûr, faites régulièrement des arrêts-pipi.

« Je rêve de me faire dorloter un peu. Y a-t-il des précautions particulières à prendre si je vais dans un centre de balnéo- ou de thalassothérapie ? »
Si vous informez le personnel de votre état, la plupart des soins proposés ne posent pas de problème. Certains centres proposent des forfaits « future maman », avec des massages adaptés à la grossesse, notamment des pieds. Évitez les chaleurs intenses (sauna, bain très chaud, table UV et enveloppements du corps) car l'augmentation de température peut être nocive pour le bébé. Choisissez soigneusement les soins du visage si votre peau est sensible car les produits agressifs ne feraient qu'aggraver les choses. Quels que soient les soins choisis, n'oubliez pas de dire à l'esthéticienne que vous êtes enceinte. Idéalement, demandez auparavant à votre gynécologue si les soins que vous envisagez posent problème ou non.

checklist

« De quoi aurai-je besoin pour mon bébé ? »

Vous n'avez pas forcément besoin d'acheter tout ce qui est proposé dans les boutiques de puériculture. Nous vous indiquons ici les achats utiles.

5e mois

Mobilier

○ Lit à barreaux
○ Matelas et tour de lit avec 2-3 draps-housses
○ Commode

Matériel de puériculture

○ Babyphone
○ Transat
○ Siège auto
○ Pare-soleil
○ Poussette
○ Harnais porte-bébé
○ Sac à langer
○ Matelas pour table à langer
○ Petite baignoire
○ Chaise haute (pour plus tard)

Facultatif

○ Tétine

Toilette et soins

○ Sérum
○ Ciseaux à bouts ronds
○ 4-6 serviettes à capuche
○ 4-6 gants de toilette
○ Savon
○ Brosse
○ Crème protectrice pour le change
○ Couches
○ Coton ou compresses
○ Thermomètre

Layette/trousseau

○ 8 grenouillères
○ 8 bodies (manches courtes et longues)
○ 2 brassières ou gilets
○ 2 turbulettes
○ Chaussettes
○ 1 chapeau
○ 1 nid d'ange

○ *Si le bébé naît en hiver :*
2 brassières de laine en plus
2 surpyjamas molletonnés
1 combinaison pilote

Repas

○ 4–8 bavoirs
○ *Allaitement*
○ 2-3 soutiens-gorge d'allaitement
○ Coussinets ou coques d'allaitement
○ Crème pour les mamelons
○ Tire-lait (éventuellement)
○ Plusieurs biberons de 125 ml et de 250 ml
○ Lait infantile 1er âge
○ Thermos à biberon
○ Goupillon
○ Stérilisateur à biberons
○ Chauffe-biberons

Chapitre 6

sixième

C'est bien parti !

mois

Vous vous sentez toujours aussi bien ?

Alors prenez le temps de vivre et profitez des dernières semaines du deuxième trimestre : votre ventre devient vraiment gros, votre bébé danse la sarabande à l'intérieur et vous pouvez encore aller à peu près partout où vous voulez. Vous vous sentez peut-être davantage en phase avec votre bébé maintenant qu'il remue beaucoup. Allez-y : entamez la conversation avec ce petit être qui grandit en vous et faites-lui écouter la musique que vous aimez – à 24 semaines, le fœtus a déjà l'ouïe bien développée.

Pense-bête

- Continuer les achats.

- Prévoir un dépistage du diabète (test de tolérance au glucose) et de l'hépatite B.

- S'inscrire dans une maternité (si ce n'est pas déjà fait).

- Se renseigner sur les méthodes de préparation à l'accouchement.

mot à maux...

 C'EST FOU LES COUPS DE PIED QU'IL DONNE.

Mon nombril ne ressemble plus à rien.

BEURK ! des hémorroïdes !

Bilan : + 6 kg. C'est bien non ?

OUI, JE PORTE DES TENNIS AVEC UNE JUPE...

J'ai des gaz... beaucoup de gaz.

JE MEURS DE FAIM.

FATIGUÉE, MAIS HEUREUSE.

Vos questions...

▌Chez le gynécologue

« Comment se passe le test de tolérance au glucose ? »

Le test de tolérance au glucose (pratiqué entre la 24e et la 28e semaine, plus tôt chez les femmes à risque) sert à dépister le diabète gestationnel. Vous arrivez au laboratoire d'analyses (on vous demandera peut-être d'être à jeun), on vous fait avaler un liquide extrêmement sucré et sirupeux (il contient 50 g de glucose). Au bout d'une heure, on vous fait une prise de sang pour mesurer votre glycémie (taux de sucre sanguin). Si le résultat est inférieur à 1,3 g/l (ou 1,4 g/l selon les cas), vous êtes tranquille. S'il est supérieur à 2 g/l, le diagnostic de diabète gestationnel est posé. Entre ces deux valeurs, votre gynécologue vous demandera

Il est gros comment ?

23e-27e SEMAINE
Aubergine

de passer un deuxième test, l'hyperglycémie provoquée orale (HGPO), pour confirmer le résultat. Vous arrivez à jeun au laboratoire, on vous fait absorber 100 g de glucose et votre glycémie est mesurée toutes les heures sur 3 heures (de H0 à H3). Si deux des quatre mesures sont anormales, on considère que vous souffrez de diabète

gestationnel. Votre gynécologue vous recommandera des mesures diététiques à respecter jusqu'à la fin de la grossesse et une surveillance accrue sera instaurée. Si la diététique ne suffit pas à équilibrer votre glycémie, des injections d'insuline peuvent être prescrites.

« Qu'est-ce que la pré-éclampsie ? »

La pré-éclampsie (également appelée toxémie gravidique) est une complication de la grossesse qui survient généralement au 2e ou 3e trimestre. Elle se caractérise à la fois par une hypertension artérielle, la présence de protéines dans les urines et une rétention d'eau dans les tissus. Son origine est un peu mystérieuse. Elle entraîne une contraction des vaisseaux sanguins et une diminution du flux sanguin, ce qui peut affecter le foie, les reins et le cerveau. La circulation sanguine vers le bébé peut aussi être altérée, ce qui, dans les cas les plus graves, peut entraîner un retard de croissance, une diminution du volume du liquide amniotique ou le décollement du placenta de la paroi utérine. La pré-éclampsie est assez rare (environ 5 % des grossesses). Il semble qu'il y ait un facteur héréditaire. Le risque est accru chez les femmes souffrant d'hypertension chronique (ou ayant des antécédents familiaux d'hypertension) ou de diabète. Il l'est aussi chez les femmes en surpoids, en cas de grossesse multiple, de grossesse précoce (moins de 18 ans) ou tardive (plus de 40 ans). Restez à l'écoute de votre corps et signalez à votre médecin des signes tels qu'une prise de poids rapide (plus de 2 kg en 1 semaine) ou un gonflement excessif des mains, du visage ou des pieds. D'autres signes doivent vous

6e mois

alerter : troubles de la vision, douleur intense au niveau de l'estomac, nausées, vomissements, maux de tête importants. Une fois que le diagnostic est posé, la future maman est étroitement surveillée. Elle doit ralentir son activité. Un accouchement avant terme est parfois déclenché.

Une prise en charge précoce permet généralement d'éviter les complications. La meilleure prévention consiste à bien suivre le calendrier des visites et examens pour contrôler la pression artérielle et détecter les signes de pré-éclampsie.

« Qu'appelle-t-on contractions de Braxton-Hicks ? »

Il s'agit de contractions relativement indolores de l'utérus, qui commencent dès la 6e semaine (mais elles ne sont généralement perçues qu'à partir du milieu de la grossesse ; certaines femmes ne les remarquent même pas). La paroi de l'utérus se durcit pendant une vingtaine de secondes, et le phénomène peut se reproduire une dizaine de fois par jour dans certains cas. Si vous avez du mal à supporter ces « fausses contractions », vous pouvez les atténuer en prenant un bain ou une douche. Vous n'avez aucune raison de vous inquiéter : les vraies contractions se reconnaissent aisément, elles sont régulières, douloureuses, de plus en plus rapprochées et intenses.

« J'ai entendu dire que le fœtus était viable à 24 semaines. »

En France, le fœtus est déclaré viable à partir de 24 semaines d'aménorrhée et s'il pèse au moins 500 g. Cependant, à 24 semaines, les chances de survie sont faibles et le risque de séquelles est important. Ces accouchements d'extrême prématuré se rencontrent lorsque le travail a commencé et qu'aucune mesure ne peut l'interrompre ou que le bébé court un risque et qu'il faut absolument le faire naître.

▌Vos préoccupations

« Qu'est-ce qu'une doula ? »

Une doula est une femme (elle-même mère) qui apporte son soutien et son expérience à d'autres femmes pendant leur grossesse et parfois après la naissance. Ce n'est pas une bénévole : elle est rémunérée pour ses services. Elle intervient en complément du suivi classique : elle n'a pas de formation médicale et ne joue pas le rôle d'une sage-femme. Ce métier, peu répandu en France, est souvent critiqué par les instances médicales qui considèrent que le fait d'être mère ne donne pas de compétence particulière pour s'occuper de femmes enceintes, même si on a suivi une formation. Une femme isolée (sans famille, ni amies proches) et un peu perdue peut néanmoins trouver du réconfort et de l'aide auprès d'une doula expérimentée et bienveillante, l'essentiel étant qu'elle s'en tienne à ce rôle, sans interférer avec le domaine médical.

« Je voudrais faire des photos originales de ma grossesse. Avez-vous des idées ? »

Essayez de trouver quelque chose pour que vos photos traduisent bien ce que vous avez ressenti ou vécu pendant cette période. Vous pouvez photographier tout ce qui compose votre vie pendant cette grossesse, à la

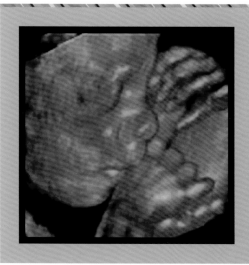

Bébé se développe

- Ses oreilles se développent.
- Le visage est presque entièrement formé.
- La peau s'opacifie.
- Les muscles des bras et des jambes se développent.
- Les yeux se forment – le fœtus ne va pas tarder à effectuer quelques clignements.

6e mois

manière d'un reportage : vos autres enfants, l'homme de votre vie, le chien et le chat de votre maison, votre ventre, la chambre avant et après décoration, les séances de gymnastique prénatale... Composez un carnet de bord en collant et en légendant ces photos, et en notant tout ce qui vous paraît insolite : un rêve farfelu, vos envies irrépressibles de tel ou tel aliment, votre obsession du rangement, etc... Cela paraît un peu « fleur bleue », mais vous serez surprise du plaisir que vous prendrez à revoir cet album plus tard avec votre enfant.

« Je pense que je vais devoir changer mes horaires de travail après la naissance de mon bébé. Est-ce que je dois en parler à mon patron maintenant ? Et de quelle façon ? »
Si vous espérez changer quelque chose une fois que votre congé de maternité sera

écoulé, il est préférable d'en parler dès maintenant. Commencez par vous renseigner sur les possibilités qui existent au sein de l'entreprise. Prenez ensuite rendez-vous avec votre DRH ou votre patron pour en discuter et remettez-lui une demande écrite. Soyez claire et précise dans votre formulation : souhaitez-vous travailler à temps partiel ? avec des horaires variables ? Acceptez-vous de changer de poste ? Le cas échéant, vous pouvez discuter avec lui des modalités d'un éventuel changement (qui pourrait vous remplacer ? seriez-vous prête à le ou la former ?).

« Une de mes collègues, également enceinte, m'a dit qu'elle rédigeait un projet de naissance. Je n'ai pas osé lui demander de quoi il s'agissait... »
Le projet de naissance n'est qu'une façon de faire savoir au personnel de la maternité

(sage-femme, obstétricien, infirmières, puéricultrices) ce que vous souhaitez pour le jour de l'accouchement. Concrètement, c'est une feuille sur laquelle vous écrivez vos souhaits en matière de péridurale, de déclenchement, d'épisiotomie, de position d'accouchement... Vous pouvez aussi demander que votre bébé ne soit pas emmené en salle de soins dès la naissance pour le garder auprès de vous plus longtemps. Votre texte peut se résumer à une simple phrase : « je souhaite éviter au maximum... »...

Si vous établissez un projet de naissance, il est important d'en discuter auparavant avec votre gynécologue pour être sûr qu'il est réaliste et qu'il correspond aux pratiques de la maternité où vous allez accoucher. Une fois que vous avez mis les choses au point avec lui, faites mettre une copie de votre projet dans votre dossier et glissez-en plusieurs exemplaires dans le sac que vous emporterez à la maternité (votre mari les donnera à la sage-femme et aux infirmières en arrivant).

Vous pouvez aussi très bien vous passer de projet de naissance. Il suffit que le praticien qui vous accouchera connaisse vos souhaits sur les différentes questions qui peuvent se poser, car vous ne serez pas vraiment en mesure de beaucoup réfléchir entre deux contractions. De toutes les façons, dites-vous bien que ce ne sont que des souhaits : le moment venu, votre santé et celle du bébé sont prioritaires.

> Pour mon premier enfant, j'ai refusé la péridurale car je souhaitais vraiment ressentir la délivrance. Mais, dans le feu de l'action, j'ai regretté d'avoir été si catégorique.

▌Est-ce normal ?

« J'ai tendance à gonfler. Je sais que c'est normal, mais à partir de quand dois-je m'inquiéter ? »

Presque toutes les femmes gonflent au moins un peu, surtout au niveau des pieds et des chevilles, en fin de journée et quand il fait chaud. C'est embêtant ? Oui. Dangereux ? En général, non. Le corps retient davantage d'eau pendant la grossesse. En revanche, appelez votre médecin si votre visage se met à enfler, si vos mains sont plus gonflées que d'habitude ou bien si l'œdème des pieds et des chevilles est marqué ou augmente brusquement. Ces symptômes peuvent annoncer une pré-éclampsie. Appelez-le aussi si l'une de vos jambes est beaucoup plus gonflée que l'autre, car un caillot s'est peut-être formé dans une veine.

« C'est affreux, j'ai les jambes comme des poteaux ! Que puis-je faire ? »

Vous n'êtes pas malheureusement pas la première à avoir les jambes gonflées et lourdes. Évitez de rester longtemps debout immobile : allongez-vous, de préférence sur le côté gauche. Quand vous êtes assise, surélevez vos pieds, ne croisez pas les jambes, étirez-vous souvent et faites des mouvements circulaires avec les chevilles et les pieds pour améliorer la circulation. Levez-vous pour marcher de temps en temps et faire circuler le sang. Pensez à boire régulièrement. Les bas de contention peuvent aussi vous soulager : ils compriment légèrement les jambes,

« De quoi peut-on décider pour l'accouchement ? »

Certains choix sont possibles, mais ce qui détermine la façon dont vous allez accoucher, c'est l'équipement de la maternité et, surtout, votre santé et votre sécurité (la vôtre et celle de votre bébé).

Le type d'accouchement

o La décision de pratiquer une césarienne est difficile à contester, mais certaines interventions sont réalisées simplement parce que le travail dure trop longtemps. Rien ne vous empêche de donner votre avis : si vous tenez à accoucher par voie basse, dites-le à l'obstétricien qui (peut-être !) sera moins prompt à vous envoyer au bloc…

Le lieu, la position

o Si vous souhaitez accoucher chez vous ou bien dans l'eau ou bien dans une position particulière (accroupie, à genoux, sur le côté), c'est possible, mais rare et donc difficile à organiser.

Le déclenchement

o Si vous ne voulez pas que votre accouchement soit artificiellement déclenché ou accéléré (sauf risque pour le fœtus ou pour vous), parlez-en à la sage-femme ou à l'obstétricien.

Contre la douleur

o Si vous refusez l'anesthésie péridurale, sachez qu'il existe d'autres méthodes pour atténuer la douleur, mais qu'elles sont pratiquées dans peu de maternités : acupression, acupuncture, hypnose, massages, électrostimulation transcutanée…

L'épisiotomie

o Cette incision agrandit l'orifice vaginal et prévient les déchirures du périnée, mais elle est parfois pratiquée trop systématiquement. Donnez votre avis à l'obstétricien.

Les forceps, ventouse et spatules

o Vous pouvez donner votre avis pour éviter un recours trop rapide à ces instruments, mais les décisions médicales prises dans le feu de l'action sont difficiles à contester.

Des demandes personnelles

o Votre compagnon peut être présent (y compris lors d'une césarienne), mais vous pouvez aussi demander à une amie, une sœur ou votre mère d'être là. Posez toutes les questions qui vous passent par la tête : peut-on mettre de la musique ? prendre des photos ou filmer ? puis-je garder mes lentilles de contact ? puis-je porter mes propres vêtements ? ai-je le droit de boire ou manger ?

o Vous pouvez demander à découvrir vous-même le sexe de votre bébé (sans que l'équipe ne vous le dise), demander à garder votre bébé contre vous un long moment avant qu'on l'emmène en salle de soins…

6ᵉ mois

ce qui limite la rétention d'eau, favorise le retour veineux et réduit le risque de varices et varicosités. Enfin, rassurez-vous en vous disant que ce gonflement des chevilles n'est que passager…

« Je suis complètement ballonnée ! Pourquoi et que puis-je faire ? »

La progestérone a une action relaxante sur les muscles de l'appareil digestif. C'est un avantage durant la grossesse : vos intestins fonctionnent plus lentement, ce qui améliore l'absorption des nutriments et leur transfert au bébé. Malheureusement, le ralentissement du transit peut entraîner des ballonnements, des gaz et une constipation. De plus, votre utérus ne va pas tarder à comprimer votre estomac et votre rectum, ce qui ne fera qu'aggraver le problème. Pour atténuer cette pression, fractionnez vos repas (des petites quantités à chaque fois) et évitez les aliments qui ont tendance à donner des gaz (fritures, laitages, haricots secs, choux…). Mangez lentement pour ne pas avaler trop d'air. Pour lutter contre la constipation (responsable de la production de gaz), buvez suffisamment, consommez des aliments riches en fibres et faites un peu d'exercice (essayez le yoga en précisant au professeur que vous êtes enceinte).

« Je suis souvent debout au travail. Comment faire pour ne plus avoir mal aux pieds et au dos ? »

Entre le déplacement de votre centre de gravité, vos kilos supplémentaires et le relâchement de vos ligaments, pas étonnant que vous ayez mal. Demandez à faire des pauses et surélevez vos jambes dès que vous le pouvez. Mettez des chaussures confortables, qui maintiennent bien le pied (ajoutez éventuellement une semelle). Les hauts talons ne sont pas conseillés, mais un petit talon (3-4 cm) peut vous aider à soutenir votre dos. Si vous avez les pieds qui gonflent beaucoup, pensez aux bas de contention, qui évitent la stagnation du sang dans les pieds. La ceinture de grossesse peut soulager un peu le dos (certaines mamans constatent même que cela réduit la pression sur la vessie !). Ne portez pas de lourdes charges, veillez à adopter de bonnes postures et faites un peu d'exercice physique (sauf contre-indication).

> Je pensais m'en sortir sans hémorroïdes pour ma deuxième grossesse, mais c'est raté ! Mon médecin m'a prescrit une crème, et j'ai été soulagée très vite.

« Je viens de m'apercevoir que j'avais des hémorroïdes. Que puis-je faire ? »

Le sang circule en plus grande quantité dans vos veines, et il arrive qu'il s'accumule dans le bas du corps. Cela se traduit par un gonflement des veines et des démangeaisons. Les hémorroïdes sont des dilatations des veines qui se trouvent au niveau du rectum. En grossissant, l'utérus exerce une pression sur cette zone, ce qui majore le phénomène de gonflement. Demandez conseil à votre gynécologue car il est possible de soulager la douleur à l'aide de crèmes et de suppositoires. Essayez aussi les poches de glace, les compresses imbibées d'eau d'hamamélis ou les bains de siège à l'eau chaude. Dans la mesure où la constipation (et les efforts

Les voyages en avion...

Mon gynécologue m'a autorisé à prendre l'avion jusqu'à la 22ᵉ semaine. Aujourd'hui, c'est terminé : je fais des petits trajets en train ou en voiture.

J'ai toujours demandé un siège côté couloir : je me levais sans arrêt pour aller faire pipi.

J'ai pris l'avion trois fois quand j'étais enceinte. Une fois, j'ai retiré mes chaussures pendant le vol, mais mes pieds ont tellement gonflé que je n'ai pas pu les remettre en arrivant !

Nous sommes allés aux Antilles quand j'étais enceinte d'environ 22 semaines. J'étais déjà tellement grosse que le voyage n'a vraiment pas été agréable.

qu'elle entraîne lorsqu'on pousse) peut aussi provoquer des hémorroïdes, pensez à boire suffisamment et à consommer beaucoup de fibres. L'excès de poids peut aggraver les hémorroïdes : essayez de rester dans les limites conseillées par votre médecin et continuez à faire un peu d'exercice – même si c'est moins facile maintenant. En bougeant, vous atténuez la pression exercée sur les veines de la région pelvienne (et vous agissez en même temps sur la constipation). Et n'oubliez pas de faire travailler les muscles de votre plancher pelvien – cela favorise aussi la circulation au niveau du rectum.

« Je crois que je n'ai pas senti mon bébé bouger depuis un petit moment et cela m'inquiète...»

C'est entre le 5ᵉ et le 8ᵉ mois que l'on ressent le plus le bébé remuer et donner des coups de pied. Ensuite, vous percevrez toujours des mouvements, mais de moins grande ampleur et peut-être moins souvent tout simplement parce que le fœtus a moins de place. Si vous êtes inquiète parce que vous n'avez pas perçu de mouvement depuis quelques heures, allongez-vous sur le côté gauche et attendez en vous concentrant sur vos sensations abdominales. Faites-le si possible après un repas ou après avoir bu quelque chose de froid et de sucré (cela inciterait le bébé à gigoter !). Si vous ne sentez toujours pas bouger votre bébé au bout de 1 à 2 heures, prenez contact avec votre gynécologue (voir aussi page 94).

6ᵉ mois

**« Je me réveille avec des crampes hor-
ribles dans les jambes ! Comment les
éviter ? »**

Pendant les derniers mois de la grossesse, il
n'est pas rare d'avoir des crampes dans les
jambes, surtout la nuit. Les médecins ne savent
pas très bien pourquoi, mais ils pensent que
cela pourrait être dû à la perturbation de la
circulation sanguine, au poids supplémentaire ou au bébé qui comprime les nerfs et
les vaisseaux sanguins. Quelle qu'en soit la
raison, ces crampes peuvent être extrêmement
douloureuses.

Pour les atténuer, étirez et massez vos mollets avant de vous coucher et en vous levant.
Mangez des bananes (le potassium aiderait
à lutter contre les crampes). Évitez de tendre
les orteils. Si vous sentez venir une crampe,
demandez à votre mari d'attraper votre jambe
et de vous replier le pied, ou mettez-vous
debout en vous appuyant sur le côté douloureux ou bien attrapez votre pied par les orteils
tout en vous massant le mollet. Quand la
crampe commence à s'atténuer, marchez quelques minutes pour bien relâcher vos muscles.

**« Je viens de retrouver mes clés de
voiture dans le réfrigérateur. C'est la
grossesse qui me fait perdre la tête
comme ça ? »**

Aucune étude ne le prouve, mais beaucoup
de femmes enceintes constatent qu'elles sont
effectivement un peu distraites ! Les changements hormonaux, le manque de sommeil, le
bouleversement de votre vie, tout cela peut
expliquer ces petites défaillances. Mangez
équilibré, en prenant plusieurs collations dans
la journée, reposez-vous le plus possible et ne
vous inquiétez pas : cela ne va pas durer.

**« Mes seins me font encore mal !
Quand cela va-t-il s'arrêter ? »**

La sensibilité des seins est l'un des premiers
symptômes de la grossesse. Généralement,
elle s'atténue vers la fin du premier trimestre,
mais elle peut persister chez certaines femmes.
Certaines souffrent véritablement au moindre
contact, ne serait-ce qu'un léger courant d'air.
La meilleure stratégie consiste à porter un
bon soutien-gorge (certaines futures mamans
dorment même avec un soutien-gorge de grossesse). Pour plus de détails sur les soutiens-
gorge, reportez-vous à la page 38.

Est-ce dangereux ?

**« Jusqu'à quand puis-je prendre
l'avion ? »**

Si votre grossesse se passe bien, vous êtes
encore tranquille pour quelques semaines
(jusqu'au 7e voire 8e mois). Une fois en l'air,
buvez beaucoup d'eau et marchez dans
l'allée au minimum une fois toutes les deux
heures pour faire circuler votre sang et éviter
la formation d'un caillot. En cas de grossesse
multiple, vous devrez renoncez à l'avion plus
tôt. Demandez conseil à votre gynécologue.

**« Qu'est-ce que le bébé entend ?
Est-ce que je dois éviter les bruits trop
intenses ? »**

L'oreille interne commence à se former au
4e mois de grossesse. Au 6e mois, l'ouïe s'est
déjà bien développée. Des études montrent
que même si la paroi utérine et le liquide
amniotique filtrent beaucoup de bruits, le
bébé est capable d'entendre certains sons,
d'y réagir et peut-être de s'en souvenir après
la naissance. Ce sont les basses fréquences

« *En dehors de la marche, quels sont les exercices recommandés quand on est enceinte ?* »

L'idéal est de consacrer chaque jour 30 minutes à des exercices physiques adaptés (sauf si votre gynécologue vous l'interdit). Les bienfaits sont multiples. L'activité physique pourrait réduire le risque de complications (diabète ou pré-éclampsie, notamment), diminuer la durée du travail et permettre une récupération plus rapide après l'accouchement. Cela devrait vous motiver !

6ᵉ mois

Natation

L'eau soulage les articulations et atténue la compression des organes. Vous pouvez faire travailler tous vos muscles en douceur.

NOTRE CONSEIL

Essayez les cours de gymnastique aquatique (adaptés à votre état).

Yoga

Bon pour le corps, le yoga enseigne aussi des méthodes de respiration et de relaxation qui pourront vous aider au moment de l'accouchement.

NOTRE CONSEIL

Essayez de trouver un cours de yoga prénatal.

Pilates

Les exercices permettent d'améliorer la posture, de prévenir les douleurs dorsales et même d'aider à mieux pousser au moment de l'expulsion du bébé.

NOTRE CONSEIL

Demandez au professeur des exercices adaptés à votre grossesse.

Danse du ventre

C'est surprenant, mais cette danse fait travailler la souplesse et la tonicité (y compris celle du périnée) en douceur...

NOTRE CONSEIL

L'idéal est de trouver un cours collectif pour femmes enceintes (tous les mouvements ne conviennent pas).

qui passent le mieux. Vous pouvez lui parler, chanter, lui faire la lecture ou lui faire écouter de la musique. Vous pouvez assister à un concert ou à un match de football, mais attendez-vous à ce que votre bébé réagisse, surtout pendant le dernier trimestre. En réalité, on ne sait pas si le fait d'entendre des bruits intenses de façon régulière est vraiment sans risque pour le bébé. Si vous travaillez dans un environnement particulièrement bruyant, parlez-en à votre gynécologue.

▌ Au quotidien

« À quel moment faut-il se préoccuper de la garde de mon bébé ? »

Si vous voulez une place en crèche, il faut vous y prendre dès le début de la grossesse. Vous avez un peu plus de temps si vous recherchez une assistante maternelle qui gardera votre bébé chez elle. Le deuxième trimestre est le bon moment pour commencer vos recherches auprès des services sociaux de la mairie ou dans un centre de Protection Maternelle et Infantile (PMI). Vous pouvez aussi faire garder votre enfant à domicile : faites fonctionner le bouche-à-oreille, regardez les annonces passées dans votre quartier, multipliez les entretiens et, surtout, vérifiez les références.

« Est-ce que je dois compter les mouvements de mon bébé ? »

Oui, si vous avez l'impression de ne pas avoir ressenti de mouvements depuis plusieurs heures ou d'en ressentir moins. Dans la technique dite Sadovski, vous vous allongez (sur le côté gauche) pendant une heure et vous comptez les mouvements. Si vous n'avez pas perçu au moins quatre mouvements, continuez pendant une heure encore. Si, après deux heures, vous n'avez toujours pas perçu quatre mouvements, appelez votre gynécologue. Choisissez le moment où le fœtus est généralement le plus actif, par exemple après le déjeuner ou le dîner ou quand vous vous couchez le soir.

« C'est quoi exactement, les exercices de Kegel ? »

Ce sont des exercices destinés à tonifier le plancher pelvien (ou périnée), qui soutient l'utérus, la vessie et le gros intestin. Grâce à eux, vous risquez moins d'avoir des fuites urinaires au troisième trimestre et après l'accouchement. En 2004, une étude a même démontré que ces exercices pouvaient raccourcir la deuxième phase du travail (l'expulsion). Autre intérêt, ils peuvent améliorer votre vie sexuelle en vous aidant à atteindre plus vite l'orgasme. L'exercice de base consiste à contracter les muscles pelviens comme si vous vouliez stopper un jet d'urine. Pour être certaine que ce sont bien vos muscles pelviens qui travaillent, faites-le réellement aux toilettes (vous stoppez votre jet urinaire plusieurs fois). Si vous y arrivez, c'est que vous faites travailler les bons muscles (mais ne le faites pas systématiquement car vous risquez d'obtenir l'effet inverse : un affaiblissement de ces muscles). Imaginez ensuite que vous faites remonter vos muscles en douceur, comme un ascenseur. Arrêtez-vous « en haut » et comptez jusqu'à 10, puis relâchez doucement. Recommencez dix fois. Pour changer un peu, contractez et relâchez dix fois de suite sans vous arrêter. Faites une pause, et recommencez encore dix fois.

Checklist

Les mouvements du bébé

À partir du 6ᵉ mois, vous pouvez compter les mouvements fœtaux, chaque jour durant une heure, par exemple.

Je suis dans la _____ semaine de grossesse

	lundi	mar.	mer.	jeu.	ven.	sam.	dim.
heure de début	:	:	:	:	:	:	:
heure de fin	:	:	:	:	:	:	:
nombre de mouvements							

Je suis dans la _____ semaine de grossesse

	lundi	mar.	mer.	jeu.	ven.	sam.	dim.
heure de début	:	:	:	:	:	:	:
heure de fin	:	:	:	:	:	:	:
nombre de mouvements							

6ᵉ mois

Je suis dans la _____ semaine de grossesse

	lundi	mar.	mer.	jeu.	ven.	sam.	dim.
heure de début	:	:	:	:	:	:	:
heure de fin	:	:	:	:	:	:	:
nombre de mouvements							

Je suis dans la _____ semaine de grossesse

	lundi	mar.	mer.	jeu.	ven.	sam.	dim.
heure de début	:	:	:	:	:	:	:
heure de fin	:	:	:	:	:	:	:
nombre de mouvements							

« Quelle poussette dois-je choisir ? »

Le nouveau-né a besoin d'un châssis qui soit inclinable et qui puisse recevoir une nacelle. Choisissez un modèle homologué pour des raisons de sécurité et pour être sûre que la nacelle se fixe parfaitement dessus. Quand le bébé grandit, vous aurez besoin d'une poussette pliante plus légère et maniable.

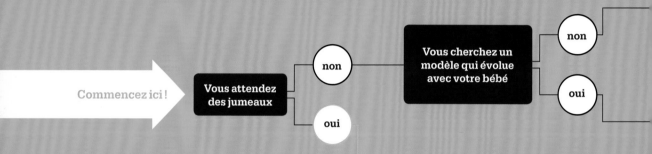

Commencez ici !

Vous attendez des jumeaux

non → **Vous cherchez un modèle qui évolue avec votre bébé**

oui

non

oui

Poussette double
Là, le problème est simple : il vous faut une poussette qui puisse accueillir vos deux bébés. Il existe des modèles avec nacelles (et/ou sièges) côte à côte, l'une derrière l'autre ou l'une face à l'autre.

Poussette avec siège auto
Cette poussette associe un châssis et une coque pour la voiture. Vous attachez votre bébé dans sa coque sur le siège de la voiture, vous repliez la poussette et vous la mettez dans le coffre.

Poussette convertible
Certains modèles peuvent être équipés à la fois d'une nacelle et d'un siège inclinable. Au bout de quelques mois, la nacelle ne sert plus et vous conservez uniquement le siège de poussette.

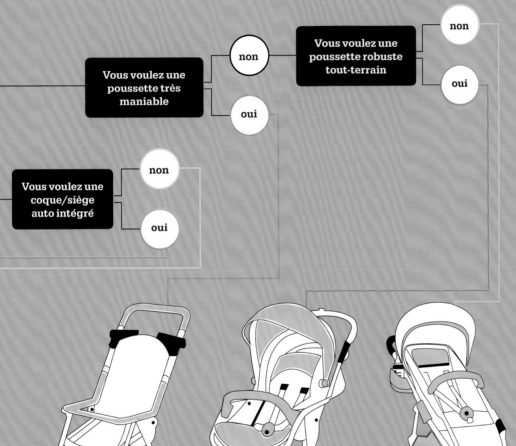

Vous voulez une poussette très maniable — **non** → Vous voulez une poussette robuste tout-terrain — **non** / **oui**

Vous voulez une poussette très maniable — **oui**

Vous voulez une coque/siège auto intégré — **non** / **oui**

6ᵉ mois

Poussette canne
C'est une poussette 2ᵉ âge, légère et maniable. Certains modèles peuvent accueillir un siège-auto.

Poussette 3 roues
Elle est conçue pour la promenade tout-terrain. Elle est très solide, mais difficile à manœuvrer dans les escaliers et les ascenseurs. Elle est généralement réservée aux bébés de plus de 6 mois.

Poussette citadine
Cette poussette facile à manœuvrer et à replier est idéale pour les bébés qui tiennent assis. Elle peut donc succéder au landau.

Chapitre 7

septième mois

Juste énorme !

Vous y êtes !

Le troisième trimestre a commencé !

La fin de la grossesse se profile à l'horizon et vous êtes sans doute encore à peu près en forme, même si la fatigue se fait sentir de temps en temps. C'est le moment de commencer à organiser la nouvelle vie qui débutera avec l'arrivée du bébé (finir d'aménager la chambre, trouver un pédiatre, acheter la layette et les biberons, se familiariser avec le siège auto...). Vous commencez certainement à penser davantage à la manière dont l'accouchement va se passer. Car ce bébé va bien finir par sortir un jour ! Et si vous trouvez déjà que votre ventre est énorme, vous n'êtes pas au bout de vos surprises...

Pense-bête

- Trouver un pédiatre.

- Visiter la maternité (et confirmer si nécessaire votre inscription).

- Programmer les cours de préparation à l'accouchement.

- Avertir l'employeur des dates de congé maternité (par lettre recommandée).

mot à maux...

66

Le temps passe à une vitesse folle.

Aïe !

Mes mensurations ?
XXL, XXL, XXL...

QUI PEUT M'AIDER À
ATTACHER MES CHAUSSURES ?

Je fais pipi à
longueur de journée.

J'ai rêvé que j'accouchais

Empotée et fatiguée !

MÊME MES PIEDS
SONT GONFLÉS !

aux petits soins
pour moi et bébé ! 99

Vos questions...

▌Chez le gynécologue

« Que signifie la hauteur utérine ? »

La hauteur utérine est la distance entre le haut de l'os pubien et le haut de l'utérus. Votre gynécologue la mesure à chaque consultation et l'évalue par rapport à des valeurs de référence. On dit qu'à 20 semaines, la hauteur doit quasiment être égale au nombre de semaines de grossesse (soit 20 cm), mais il existe une fourchette normale de variation. Si votre gynécologue constate un écart significatif (en plus ou en moins) par rapport à la norme, il vous prescrira une échographie pour s'assurer que tout va bien.

Il est gros comment ?

28e-31e SEMAINES
Courge

HAUTEUR UTÉRINE IMPORTANTE :
LES RAISONS POSSIBLES

- Vous allez accoucher d'un gros bébé en bonne santé.
- Votre date d'accouchement prévue était fausse.
- Vous attendez des jumeaux (ou plus).
- Vous avez trop de liquide amniotique.
- Le bébé est installé particulièrement haut dans l'utérus.
- Vous souffrez de diabète gestationnel (qui peut donner de gros bébés).

FAIBLE HAUTEUR UTÉRINE :
LES RAISONS POSSIBLES

- Vous allez accoucher d'un bébé petit.
- Votre date d'accouchement prévue était fausse.
- Votre bébé souffre peut-être d'un retard de croissance intra-utérin. Ce retard peut avoir de nombreuses causes : problème de placenta, maladie cardiovasculaire chez la maman, infection...
- La quantité de liquide amniotique est trop faible.

« Que faire pour éviter un accouchement prématuré ? »

On parle de naissance prématurée quand l'accouchement se déroule avant la 37e semaine de grossesse. La cause n'est pas toujours identifiée, mais on sait que le risque est plus élevé en cas de béance du col de l'utérus (il s'ouvre trop tôt), de saignements vaginaux, d'accouchement prématuré lors d'une grossesse précédente, de grossesse multiple, de prise de toxiques (tabac, alcool, drogue), de grossesse précoce (moins de 18 ans) ou tardive (plus de 40 ans).

- Ne manquez aucune visite prénatale, appelez votre médecin si vous ne vous sentez pas bien.
- Ne portez pas de lourdes charges, ne faites pas trop d'efforts, ne stressez pas. Diminuez les déplacements en voiture (et autres moyens de transport) si votre médecin vous le conseille.

Soyez vigilante si vous ressentez un ou plusieurs des signes suivants : contractions intenses, douloureuses et régulières, mal dans le bas du dos, sensation de pression au niveau du bassin, saignements, pertes vaginales claires ou teintées de sang, diarrhée.

7e mois

▎Vos préoccupations

« Je viens de réaliser qu'il allait bien falloir que mon bébé SORTE. Je commence à paniquer ! »

Votre inquiétude est parfaitement normale. Si vous commencez à vraiment redouter l'accouchement, pensez à toutes les femmes qui ont accouché avant vous depuis la nuit des temps (et qui n'ont pas eu la chance de le faire dans une maternité, sous péridurale...). Si cela ne suffit pas à vous rassurer, parlez-en avec vos amies (celles qui ont déjà accouché), lisez des témoignages de mamans sur l'accouchement ou, pourquoi pas, essayez le yoga ou la méditation.

> Non seulement j'ai peur que mon bébé ait un problème, mais je redoute aussi que l'accouchement soit très lent et que le travail dure plus longtemps que la moyenne. Ne me demandez pas pourquoi, mais je suis morte de peur.

« La césarienne me fait moins peur qu'un accouchement normal. Est-ce que je peux demander une césarienne ? »

Certains obstétriciens acceptent les césariennes de confort (ou de convenance) et estiment même que ce mode d'accouchement épargne le plancher pelvien, ce qui réduit le risque d'incontinence par la suite (autrement dit de fuites !). D'autres, en revanche, et ils sont plus nombreux, pensent que c'est une mauvaise idée de pratiquer cette intervention si elle n'est pas nécessaire. Car, comme toute opération chirurgicale, la césarienne n'est pas sans risque.

« Si je tombe, est-ce que cela peut faire du mal à mon bébé ? »

Le déplacement de votre centre de gravité, associé aux changements hormonaux qui provoquent une distension des ligaments, peut vous faire perdre un peu de votre stabilité habituelle. Pour éviter les chutes, commencez par mettre des chaussures confortables, dont les semelles ne sont pas glissantes (ce n'est pas le moment de mettre des talons hauts), tenez-vous à la rampe quand vous empruntez des escaliers, évitez les surfaces glissantes et, d'une manière générale, soyez prudente. Si vous faites malgré tout une chute, ne paniquez pas. Le bébé est bien protégé par le liquide amniotique dans lequel il baigne, et il y a de grandes chances qu'il ne souffre pas de votre chute. Appelez tout de même votre gynécologue – il voudra sans doute vérifier les battements cardiaques du bébé, juste pour s'assurer que tout va bien.

« Après un accouchement par voie basse, le vagin redevient-il exactement comme avant ? »

L'idée de faire sortir un être humain par une ouverture aussi petite est assez effrayante, mais le corps a des facultés étonnantes... Vous voulez savoir si votre vagin va redevenir exactement comme avant. Probablement pas. La plupart des couples interrogés déclarent remarquer un changement – mais ils disent aussi que ce n'est pas si grave que cela. Votre vagin va subir des étirements importants quand le bébé sortira, il va rester meurtri pendant les semaines qui suivent l'accouchement, puis il retrouvera progressivement sa taille normale (ou presque). Pour travailler votre tonus musculaire et vous raffermir, poursui-

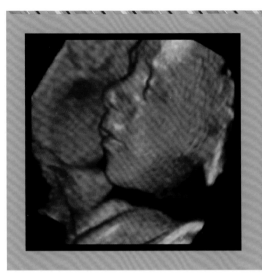

Bébé se développe

- Il donne des coups de pied plus puissants et plus fréquents.
- La graisse s'accumule progressivement sous la peau.
- Le cerveau se développe.
- Les poumons se mettent à fonctionner.
- Le lanugo (fin duvet) commence à disparaître.
- Les sourcils et les cils sont présents.
- La peau est lisse et rose.
- Les yeux ont une couleur définie (qui peut changer après la naissance).

vez les exercices de Kegel (voir page 94), y compris après l'accouchement. Ces exercices vous aideront aussi à éviter les fuites urinaires – maintenant et à la ménopause (elles sont très fréquentes chez les femmes qui ont eu des enfants). Les séances de rééducation du périnée que votre gynécologue vous prescrira après la naissance ont le même objectif. Pendant l'accouchement, il se peut que l'obstétricien pratique une épisiotomie. Cette incision du périnée permet d'agrandir l'orifice vulvaire et d'éviter une mauvaise déchirure au moment de l'expulsion. La peau est ensuite recousue (que la déchirure soit spontanée ou qu'il y ait eu épisiotomie) et la cicatrisation dure environ 6 semaines. Le périnée peut prendre un aspect différent suivant l'importance de la déchirure et l'habileté de la personne qui a réalisé la suture. Il se peut qu'un tissu cicatriciel subsiste, ce qui peut être inconfortable voire douloureux lors des pre-

miers rapports postpartum. Chaque femme vit une expérience différente, mais vous devriez en principe retrouver toutes vos sensations (ou du moins, presque toutes) au bout de quelques mois. Après un accouchement, il est également possible de souffrir temporairement de sécheresse vaginale. La meilleure solution consiste à utiliser un lubrifiant.

7ᵉ mois

▌Est-ce normal ?

« J'ai de nouveau envie de faire pipi très fréquemment ! Que faire pour limiter les allées et venues aux toilettes ? »

Entre l'augmentation du volume sanguin (qui implique la circulation d'une plus grande quantité de liquides dans votre organisme) et la pression exercée par votre utérus qui ne cesse de grossir, il n'est pas étonnant que vous ayez souvent envie d'uriner. Vous ne serez vraiment soulagée que quand le bébé sera né, mais voici trois conseils pour passer moins de temps aux toilettes.

VIDEZ BIEN VOTRE VESSIE Essayez de vider complètement votre vessie chaque fois que vous allez aux toilettes. Penchez-vous en avant pour la comprimer un peu plus et faire sortir tout ce qu'elle contient. Avantage : cette technique contribue aussi à prévenir les infections urinaires.

NE BUVEZ PAS N'IMPORTE QUOI Évitez le café, le thé et l'alcool, qui donnent encore plus envie de faire pipi (l'alcool doit de toute façon être proscrit et la consommation de café est à limiter).

BUVEZ MOINS LE SOIR Vous pouvez éventuellement réduire les boissons dans les heures qui précèdent le coucher pour limiter les passages aux toilettes la nuit. Mais, dans ce cas, veillez à boire suffisamment dans la journée, car votre corps doit impérativement être hydraté.

▌Est-ce dangereux ?

« Puis-je accoucher chez moi ? »

Vous pouvez décider d'accoucher chez vous parce que vous préférez donner naissance à votre enfant dans un environnement confortable et familier, parce que vous considérez que l'accouchement est un acte naturel, trop médicalisé aujourd'hui. En pratique, très peu de femmes choisissent cette option (environ 1 %) et très peu d'obstétriciens et de sages-femmes acceptent d'assister les accouchements à domicile. L'explication est simple : en cas de complication pour vous ou votre bébé, l'aide médicale d'urgence est impossible à assurer sur place, et vous devrez être transportée jusqu'à un hôpital. Si l'accouchement à domicile vous tente, pesez bien le pour et le contre de cette décision avec votre gynécologue ou votre sage-femme.

▌Accouchement : le compte à rebours

« Quelles sont les différentes méthodes de préparation à l'accouchement ? »

LA MÉTHODE CLASSIQUE Elle consiste en exercices de respiration, de relaxation, de postures et de poussées dont l'objectif est de vous aider à maîtriser les douleurs des contractions utérines et de faciliter l'accouchement. Des petits cours collectifs (auxquels les conjoints peuvent souvent assister) sont délivrés par une sage-femme. Sept séances sont généralement prévues à partir du 7e mois. Elles comprennent une partie théorique au cours de laquelle la sage-femme vous expliquera le déroulement de l'accouchement et pourra répondre à toutes vos questions sur la douleur, l'allaitement, la rééducation du périnée…

LES AUTRES MÉTHODES Elles sont complémentaires et ne remplacent donc pas une préparation classique.

- L'haptonomie, « science de l'affectivité », vous aide, vous et votre conjoint, à établir un contact avec votre futur bébé par le toucher et la voix. Elle peut démarrer dès la 20e semaine.
- La sophrologie est une méthode de relaxation qui peut aider à anticiper et à maîtriser les différentes étapes de l'accouchement.
- Les séances de piscine, idéales lorsque l'on est enceinte, combinent aquagym (adaptée à la grossesse) et préparation à l'accouchement quand la direction des exercices est assurée par une sage-femme.

« Je n'arrive pas à dormir ! Au secours ! »

Entre votre gros ventre, votre mal de dos, votre vessie comprimée et d'éventuelles crampes nocturnes, pas étonnant que vous vous retrouviez à regarder les rediffusions à la télévision à 3 heures du matin. Voici quelques conseils pour vous aider à trouver quelques heures supplémentaires de précieux sommeil.

- Limitez votre consommation de boissons après 19 heures (vous vous lèverez moins souvent pour aller aux toilettes).
- Lisez un livre (qui ne traite pas de la grossesse) pour vous changer les idées et vous libérer de vos angoisses.

- Buvez une petite tasse de tisane à la camomille (connue pour ses vertus relaxantes) avant d'aller vous coucher.
- Restez active dans la journée. L'exercice physique (en douceur !) peut favoriser le sommeil.

- Demandez à votre mari (ou compagnon) de vous masser.
- Calez-vous bien le corps avec des oreillers pour atténuer les douleurs, notamment au niveau des hanches et du dos.
- Prenez un bain avant de vous coucher.

• Le yoga prénatal, accessible aux débutantes, est composé d'exercices et de postures adaptés aux différentes phases de la grossesse. L'apprentissage de la respiration, très utile pendant l'accouchement, occupe une place importante, tout comme la relaxation.

« Quels sont les exercices recommandés pour faciliter le travail ? »

L'accouchement fait intervenir la souplesse, la respiration et l'endurance. Voici quelques exercices pour aider votre corps à se préparer à l'épreuve que constitue le travail (demandez conseil à votre gynécologue). **L'OUVERTURE DES HANCHES** Asseyez-vous en tailleur, les plantes de pieds l'une contre l'autre et les genoux ouverts. Servez-vous de vos coudes pour ouvrir vos hanches plus encore, et maintenez la position 30 à 60 secondes. Cet exercice assouplit le bassin et vous aidera à maintenir les jambes ouvertes pendant l'accouchement.

LES BONNES POSTURES Regardez-vous dans une glace : tenez-vous droite, épaules baissées et genoux un peu pliés, de façon que le poids du bébé repose sur les muscles des fesses, des cuisses et du ventre. Serrez les fesses et contractez un peu le ventre. Maintenez la position le temps de quelques respirations, puis relâchez. Renouvelez l'exercice pour limiter les douleurs lombaires et préparer vos abdominaux.

LE TRAVAIL DU CŒUR EN DOUCEUR Restez active : marchez, nagez ou prenez des cours de gymnastique prénatale. Vous apprécierez d'avoir un cœur bien entraîné lorsque vous devrez respirer correctement entre vos contractions. Oubliez les exercices impliquant une position allongée sur le dos, et

arrêtez-vous si vous avez mal : des mouvements mal faits peuvent provoquer une déchirure musculaire.

« Chez le gynécologue, j'ai entendu une patiente parler d'accouchement par voie basse après une césarienne. Est-ce possible ? »

Il y a peu de temps encore, une femme qui accouchait par césarienne donnait naissance de la même façon à tous ses enfants. Aujourd'hui, les mamans qui ont eu une césarienne peuvent tout à fait accoucher par voie basse (par le vagin) pour les grossesses suivantes. Si vous avez déjà eu une césarienne, parlez de cette éventualité avec votre gynécologue.

« J'attends des jumeaux. Vais-je accoucher avant terme ? »

Les jumeaux ont tendance à naître vers 35 semaines de grossesse, alors que la moyenne est de 39 semaines. Les triplés arrivent généralement encore plus tôt, vers 32 semaines, et les quadruplés naissent vers 29 semaines.

« Avoir des jumeaux signifie-t-il obligatoirement qu'on accouche par césarienne ? »

Tout dépend de la taille et de la position de vos bébés. S'ils se présentent tous les deux la tête en bas, vous pouvez accoucher par voie basse. Quand vous arriverez à la maternité, on vous fera une échographie pour s'assurer que vos bébés ont bien la tête en bas et sont prêts à sortir. Au moment de l'expulsion, vous passerez sans doute d'une salle d'accouchement normale à une salle d'opération, pour le

Checklist

« Quelles questions dois-je poser quand je visiterai la maternité ? »

Vous aurez sans doute la réponse aux questions du genre « À quoi ressemblent la salle de travail, les chambres, la pouponnière… ? » ou bien « Où devrons-nous garer la voiture ? » sans avoir à les poser, mais pensez à noter toutes celles qui vous passent par la tête. En voici quelques-unes.

○ Peut-on remplir les formalités dans les semaines qui précèdent le terme ?

○ En arrivant, devons-nous nous présenter à l'accueil général de l'hôpital (ou de la clinique) ou directement à celui de la maternité ?

○ Les appareils photos et les caméras sont-ils autorisés ?

○ Les téléphones portables sont-ils autorisés ?

○ Combien de personnes peuvent m'accompagner dans la salle d'accouchement ?

○ Mon mari (compagnon) peut-il dormir sur place ?

○ Pourrai-je allaiter dès la naissance ?

○ Pourrai-je disposer d'une chambre particulière ?

○ Quel est le coût total de l'accouchement et quelle est la part prise en charge par la sécurité sociale et la mutuelle ?

○ Mon bébé pourra-t-il rester avec moi tout le temps ?

○ Pourrais-je confier mon bébé au personnel de la maternité si j'ai besoin de me reposer ?

○ Une aide est-elle prévue pour les mamans qui veulent allaiter ?

○ Où et quand mes autres enfants peuvent-ils venir me voir ?

Le siège auto

Cale-tête Cette garniture permet de soutenir la tête branlante du bébé. Utilisez uniquement le cale-tête fourni avec le siège.

Harnais Quand vous choisirez votre siège, regardez si les sangles sont faciles à régler et si le système de verrouillage n'est pas trop compliqué.

Mousse anti-chocs En cas d'accident, elle protège le bébé en absorbant les chocs.

Protections latérales La coque enveloppante (sur les côtés et au niveau de la tête) protège le bébé en cas de choc latéral.

Confort Le revêtement et le rembourrage sont-ils doux et douillets ? Cela peut paraître un luxe, mais pendant les premiers mois, tout ce qui peut contribuer à apaiser le bébé est important.

Normes Choisissez un modèle qui correspond au poids du bébé (siège coque groupe 0, de la naissance à 10 kilos) et qui est conforme à la norme européenne (lettre E sur l'étiquette).

Durée de vie Les sièges auto ont une durée de vie limitée (environ 6 ans). Méfiez-vous des prêts et des achats d'occasion.

Couverture Un bébé trop couvert risque d'être moins bien installé dans son siège, donc moins bien protégé. Mieux vaut l'habiller normalement, quitte à mettre une petite couverture sur lui pour qu'il n'ait pas froid.

Un bon conseil

JOUETS Même s'ils peuvent être utiles pour distraire un bébé et le calmer pendant un trajet en voiture, les jouets peuvent constituer un véritable danger pour lui en cas d'accident car ils peuvent être projetés dans l'habitacle. Attention aussi aux jouets qui se clipsent sur le siège, car ils peuvent modifier les performances du siège.

cas où une césarienne devrait être pratiquée en urgence, pour les deux bébés ou pour le deuxième seulement (il arrive que l'un des deux naisse par voie basse et l'autre par césarienne). Une fois que le premier sera né, le gynécologue vérifiera la position du second et, si nécessaire, il rompra la poche des eaux pour permettre sa progression. Les contractions reprendront assez rapidement (si ce n'est pas le cas, on vous injectera un produit pour les déclencher) et vous pourrez recommencer à pousser.

▌ Au quotidien

« Comment trouver un pédiatre ? »

La bonne vieille méthode du bouche-à-oreille est encore celle qui marche le mieux. Demandez conseil à votre généraliste, renseignez-vous dans les pharmacies de quartier ou abordez les jeunes mamans. Elles sont passées par là ; il y a donc de grandes chances pour qu'elles se fassent un plaisir de vous renseigner.

Quand vous aurez sélectionné deux ou trois pédiatres potentiels, appelez-les pour prendre quelques renseignements. Les jours et horaires de consultation sont un critère à prendre en compte (vous allez reprendre le travail !). La disponibilité du pédiatre, le délai pour prendre un rendez-vous, le temps d'attente sur place, le fait qu'il se déplace ou non, qu'il réponde ou non à vos questions au téléphone sont des points importants, surtout la première année car vous aurez sans doute souvent besoin d'être rassurée. Faites votre choix. S'il ne vous convient pas ensuite, vous pourrez toujours en changer.

▌ Tout savoir sur l'allaitement

« Quels sont les avantages de l'allaitement ? »

Le lait maternel contient un mélange parfait de tout ce dont un nouveau-né a besoin, y compris des anticorps qui le protègent durant les premiers mois contre des infections du type rhume, otite ou gastro-entérite. Des études suggèrent aussi que l'allaitement aurait un effet préventif sur les allergies et qu'il diminuerait le risque futur d'obésité, de diabète ou de maladies inflammatoires du tube digestif. Pour les mères aussi, les avantages sont nombreux. L'allaitement ne coûte rien, le lait ne nécessite aucune préparation et est toujours à la bonne température. L'allaitement peut par ailleurs aider à perdre du poids plus vite après l'accouchement et accélérer le retour à la normale du volume de l'utérus. Selon certaines études, il permettrait aussi de diminuer les risques de cancer du sein ou de l'utérus, ainsi que d'ostéoporose.

« Est-ce que je dois faire quelque chose pour me préparer à l'allaitement ? »

7e mois

L'allaitement est parfois moins facile qu'il n'y paraît, surtout la première fois. La meilleure des préparations consiste à bien s'informer. N'hésitez pas à poser des questions à la sage-femme, lisez des livres ou des articles sur le sujet et discutez-en avec vos amies qui allaitent. Chaque bébé est unique, mais si vous avez les bases, vous aurez davantage confiance en vous le jour où vous mettrez le vôtre au sein. En revanche, aucune préparation physique n'est nécessaire.

« Mes seins sont petits, et je crains de ne pas avoir assez de lait... »

La quantité de lait produite n'a rien à voir avec la taille des seins. Les gros seins comportent plus de graisse, mais leurs glandes mammaires ne sont ni plus nombreuses ni plus efficaces. Alors, ne vous inquiétez pas.

« À quel moment le lait se forme-t-il ? »

Au cours du deuxième trimestre de la grossesse, sous l'effet d'une forte poussée hormonale, les seins commencent à produire du lait et les canaux lactifères (par lesquels le lait est évacué vers le bout du mamelon) grossissent. Mais « la fabrique de lait » ne se met vraiment en marche qu'une fois que le bébé est né. Vous produirez d'abord un liquide jaune épais appelé colostrum. Celui-ci contient les anticorps qui vont aider les défenses immunitaires du nouveau-né à se constituer. La quantité est très faible, mais suffisante pour son estomac minuscule. La montée de lait survient vers le 3e ou 4e jour en principe, elle est stimulée par les tétées régulières.

« Mes seins vont-ils commencer à fuir avant l'accouchement ? »

Cela arrive. Le liquide qui s'écoule au début est le colostrum. Il s'en écoule parfois du mamelon dès le deuxième trimestre, mais cette sécrétion débute généralement avec la naissance du bébé.

Paroles de mamans

L'allaitement...

Même si je ne suis pas impatiente de le faire, je vais allaiter mon bébé. Je suis convaincue que c'est ce qu'il y a de mieux pour lui.

J'ai assisté à des réunions sur l'allaitement. Je ne peux que conseiller aux futures mamans d'en faire autant.

J'ai eu mal pendant environ une semaine à chaque début de tétée, mais on a fini par trouver la bonne méthode, et ensuite tout a marché comme sur des roulettes.

L'idée d'allaiter ne m'emballe pas. Je sais que c'est un peu égoïste, mais j'ai peur que cela abîme mes seins. Et puis je ne veux pas être la seule à me lever la nuit !

En savoir plus

« J'ai quelques inquiétudes sur l'allaitement... »

VOUS HÉSITEZ...

Certaines femmes savent d'emblée qu'elles veulent allaiter ou donner le biberon. Mais vous pouvez être indécise car donner le sein est un geste certes très naturel, mais qui peut, paradoxalement, paraître très étrange pour certaines. Sachez qu'on peut passer de l'allaitement au biberon à n'importe quel moment, mais que l'inverse n'est pas vrai : les seins qui ne sont pas stimulés par les tétées s'arrêtent très vite de produire du lait. Si vous avez des réticences à allaiter, attendez au moins les premières tétées pour prendre une décision. Si vous culpabilisez à l'idée de renoncer, dites-vous que l'allaitement n'est ni un devoir ni un défi : les laits infantiles ont une composition très proche de celle du lait maternel et tenir son bébé contre soi en lui donnant le biberon peut procurer autant de plaisir que lui donner le sein.

VOUS ÊTES PUDIQUE...

L'allaitement est un moment de grande intimité avec votre bébé. À la maternité, vous allez recevoir des visites qui, inévitablement, tomberont au mauvais moment. Vous pouvez très bien demander à vos visiteurs de sortir et d'attendre. Que vous soyez pudique ou pas, prévoyez d'emporter des pyjamas ou chemises de nuit boutonnées devant, plusieurs soutiens-gorge d'allaitement, des coussinets d'allaitement pour absorber les fuites et éviter que les mamelons ne macèrent dans l'humidité. Les coquilles d'allaitement peuvent être utiles pour recueillir l'excédent de lait, mais elles sont parfois désagréables à porter.

7ᵉ mois

VOUS AVEZ PEUR DE NE PAS SAVOIR...

Ne vous inquiétez pas : les puéricultrices de la maternité vous montreront comment vous installer et placer votre bébé pour être confortable et faciliter la prise du sein. Cette mise en place est essentielle pour prévenir les douleurs des mamelons.

VOUS AVEZ PEUR D'AVOIR MAL...

Au tout début de chaque tétée, la première semaine surtout, vous pouvez effectivement avoir mal aux mamelons : cette douleur est passagère et elle s'atténue puis disparaît au fil des semaines. Entre chaque tétée, appliquez une crème spéciale allaitement pour hydrater et protéger vos mamelons. L'allaitement peut poser quelques problèmes plus décourageants : irritations, crevasses, blocage d'un canal galactophore, infection (mastite). Informez-vous le plus possible pour en connaître les signes et bien réagir le cas échéant.

Chapitre 8

huitième

Le jour J approche

mois

Votre bébé ne va pas tarder à pointer son nez !

Certes, vous êtes essoufflée au moindre effort, vous somnolez dans la journée, vous avez des fuites chaque fois que vous éternuez et votre bébé vous donne des coups dans les côtes en plein milieu de la nuit, mais vous allez être maman ! Profitez de votre congé maternité pour vous reposer, voir vos amis et continuer à chercher LE prénom parfait si vous n'êtes pas encore décidés. Vous pouvez aussi réfléchir au faire-part et, même si c'est un peu tôt, vous demander comment sécuriser la maison pour que votre enfant ne coure aucun risque. Et pensez à votre valise de maternité...

Pense-bête

- Programmer la dernière échographie.
- Faire les examens nécessaires à l'anesthésie.
- Poursuivre la préparation à l'accouchement.
- Envoyer l'attestation d'arrêt de travail à la Sécurité sociale.

mot à maux...

"

IMPOSSIBLE QUE MON VENTRE GROSSISSE PLUS !

Un étage à pied et je suis essoufflée !

OUH LA ! IL APPUIE VRAIMENT FORT !

J'AI FAIT PIPI EN ÉTERNUANT !

J'ai du mal à respirer.

MON NOMBRIL NE RESSEMBLE PLUS À RIEN !

aïe !

J'ai peur de l'accouchement.

Je n'en peux vraiment plus.

C'est tout juste si je peux enfiler mes chaussures.

"

Vos questions...

▌Chez le gynécologue

« Qu'est-ce que le test de dépistage du streptocoque B ? »

Entre la 34e et la 38e semaine d'aménor-rhée, le gynécologue pratiquera un test de dépistage du streptocoque de groupe B. Cette bactérie, qui peut être présente dans les intestins et les organes génitaux, est anodine en temps normal et ne cause pas de symptômes particuliers. Mais, lors d'une grossesse, elle peut contaminer le bébé (le plus souvent au cours de l'accouchement par voie basse), avec un risque de complications et de séquelles sérieuses. Pour dépister une éventuelle infection chez la femme, le gyné-cologue effectue un prélèvement vaginal qu'il envoie ensuite à un laboratoire pour analyse.

Il est gros comment ?

32e-35e SEMAINE
Melon (de 1,5 à 2 kg)

Si le test s'avère positif, vous recevrez un trai-tement antibiotique pendant la grossesse et au moment de l'accouchement pour protéger le bébé.

« Le gynécologue peut-il estimer le poids du bébé ? »

Il peut vous donner une approximation, mais sans garantie car le gain de poids des dernières semaines est très variable d'un fœtus à l'autre. Il ne s'agira donc que d'une estimation basée sur votre hauteur utérine et sur l'évaluation de la taille de votre utérus.

« À quoi sert l'échographie du 3e trimestre ? »

Elle permet de contrôler le bon dévelop-pement du fœtus et de vérifier l'absence d'anomalies absentes ou non visibles aupa-ravant. L'échographe note l'emplacement du placenta et la position du bébé pour prévoir les conditions de l'accouchement (même si le bébé peut encore se retourner).

▌Vos préoccupations

« Le bébé va-t-il passer ? »

Beaucoup de femmes se demandent effec-tivement comment un bébé peut franchir un passage aussi étroit. Et pourtant, s'il se pré-sente correctement (tête vers le bas), il pourra progresser sans grosse difficulté à travers le bassin de sa mère, et cela grâce à plusieurs mécanismes d'adaptation. Ainsi, la mobilité des os du bassin maternel, la compression du crâne du nouveau-né (possible car les os ne sont pas encore soudés), l'élasticité et le relâchement des tissus maternels ainsi que les contractions facilitent son cheminement, puis son expulsion.
Si le gynécologue a un doute sur le rapport taille du bassin/diamètre de la tête du fœtus, ou si le fœtus se présente mal (par le siège, par

8e mois

exemple), il pourra demander une radiographie du bassin (radiopelvimétrie) pour autoriser un accouchement par les voies naturelles ou préconiser une césarienne.

« Je suis obligée de rester couchée ! »

Réfléchissez à l'endroit où vous voulez passer vos journées (dans votre lit, sur le canapé du salon ?), et demandez à votre mari (ou compagnon), votre mère ou une amie de vous installer un coin douillet avec tout ce qu'il vous faut à portée de main. Prévoyez un téléphone, de la lecture, du papier et un crayon, un téléviseur avec une télécommande, une bouteille d'eau, une collation, un ordinateur portable avec un accès à Internet. Alternez activités de loisir et obligations (recherche d'un pédiatre, courses sur Internet, listes de choses à faire, à confier à votre mari...). Si votre gynécologue l'autorise, un peu d'exercice modéré (levers de jambes, par exemple) permet de faire circuler le sang et évite de se sentir trop léthargique. Si vous avez le cafard, si vous êtes inquiète car votre grossesse ne se déroule pas tout à fait comme vous l'aviez prévu, confiez-vous à votre mari ou à une amie proche. Vous pouvez aussi prendre contact avec d'autres futures mamans elles aussi clouées dans leur lit – vous en trouverez sur les forums de discussion Internet.

« Quel est le risque que mon bébé se présente par le siège ? »

Pour l'instant, il n'y a aucun moyen de savoir si votre enfant fera partie des 3 à 4 % de bébés qui naissent à terme sans s'être retournés. Sachez que votre bébé peut encore s'installer la tête en bas jusqu'à la 39e ou la 40e semaine, ou même juste avant l'accouchement. La plupart des bébés qui se présentent par le siège semblent simplement coincés dans la mauvaise position (ils n'ont plus assez de place pour se déplacer dans votre utérus), mais cette présentation peut aussi être due à différents facteurs.

- Trop ou pas assez de liquide amniotique.
- Grossesse multiple.
- Malformation de l'utérus.
- Utérus distendu par plusieurs grossesses antérieures.
- Présence d'une tumeur bénigne dans l'utérus (fibrome, par exemple).
- Placenta prævia.
- Accouchement prématuré.

Présentation normale   **Présentation transversale**   **Présentation par le siège**

« J'ai un statut d'indépendante. Puis-je travailler jusqu'au bout ? »

Si vous êtes en forme, pourquoi pas ? Mais ralentissez malgré tout votre rythme, limitez les déplacements et évitez le surmenage. Vous pouvez aussi vous arranger pour travailler chez vous les dernières semaines. Transmettez toutes les informations nécessaires pour éviter que vos collègues vous appellent, affolés, à la clinique... Statistiquement, le travail se déclenche plus souvent la nuit que dans la journée, mais méfiez-vous : perdre les

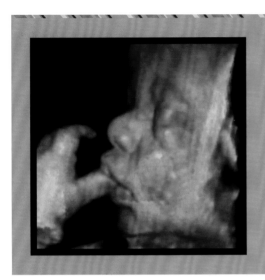

Bébé se développe

- Il commence à manquer de place.
- Il peut déjà se placer tête en bas.
- Il pousse sur vos côtes avec ses pieds.
- Les yeux réagissent à la lumière : le fœtus fait la différence entre le jour et la nuit.
- Les poumons sont presque à maturité.
- Les poignets et le cou forment des plis.
- Le cerveau poursuit sa maturation.
- Le fœtus réagit aux sons et à la musique.

eaux en pleine réunion de travail peut être gênant... Essayez quand même de vous arrêter quelques jours avant la date d'accouchement prévue pour faire une pause, finir de préparer vos affaires, faire quelques courses, aller chez le coiffeur et l'esthéticienne... Et si votre vie professionnelle le permet, arrêtez-vous au maximum après la naissance.

« Mon compagnon veut prendre un congé paternité. »

Le congé paternité est autorisé à tout salarié marié, pacsé, en union libre et même divorcé ou séparé. Il doit débuter dans les 4 mois qui suivent la naissance et dure 11 jours (18 jours en cas de naissance multiple) auxquels peuvent s'ajouter les 3 jours d'absence autorisés par l'employeur pour une naissance. Votre conjoint devra simplement envoyer une copie de l'acte de naissance à sa Caisse d'Assurance Maladie.

▌ Est-ce normal ?

« Mon mari me dit que je ronfle ! Est-ce lié à ma grossesse ?

Oui, les femmes enceintes ont tendance à ronfler, surtout au troisième trimestre. Ces ronflements seraient dus au rétrécissement des voies aériennes supérieures (qui retrouveront leur taille normale après l'accouchement). Certaines études établissent un lien (encore hypothétique) entre ces ronflements et le diabète gestationnel. Par conséquent, informez-en votre gynécologue. Et comme toujours, mangez équilibré et faites de l'exercice car le surpoids aggrave le ronflement. Si vous ne ronfliez pas avant d'être enceinte, il n'y a pas de raison que ce problème persiste.

« J'ai des fuites urinaires à chaque fois que je tousse ou que je ris. »

Votre vessie a la forme d'un ballon gonflable, avec un petit tuyau (l'urètre) en bas

8e mois ▶

pour laisser s'écouler l'urine. L'incontinence pendant la grossesse est due à la fois à un affaiblissement du sphincter de l'urètre (qui maintient la vessie fermée), à un relâchement des muscles du périnée (qui participent à la continence urinaire) et à la pression que le fœtus exerce sur la vessie. Utilisez des serviettes hygiéniques pour ne pas être prise au dépourvu et pratiquez régulièrement les exercices de Kegel qui visent à tonifier le périnée. Après l'accouchement, votre gynécologue vous prescrira des séances de rééducation périnéale.

▌Accouchement : le compte à rebours

« Qu'est-ce que le bouchon muqueux ? À quel moment est-il expulsé ? »

Le bouchon muqueux est formé de sécrétions épaisses qui bouchent l'orifice du col de l'utérus pendant la grossesse. Il empêche la pénétration dans l'utérus de bactéries et de tout ce qui pourrait être nocif pour le bébé. Son expulsion – au cours du dernier mois de la grossesse – peut passer inaperçue. Le mucus peut sortir par morceaux ou entier, et il est parfois teinté de sang car les minuscules vaisseaux qui l'entourent ont éclaté. Votre col continuera néanmoins à produire du mucus pour combler l'orifice, alors ne vous étonnez pas d'avoir des pertes importantes jusqu'à l'accouchement. Si le bouchon muqueux est expulsé avant la 36ᵉ semaine, appelez votre gynécologue car il doit vérifier que vous ne risquez pas d'accoucher prématurément. S'il est évacué après cette date, ne vous réjouissez pas trop vite : même si votre corps se prépare

à l'accouchement, cela ne veut pas dire que le travail va se déclencher tout de suite (cela peut prendre des heures voire des jours).

« Est-ce que je saurai faire la différence entre l'expulsion du bouchon muqueux et la rupture de la poche des eaux ? »

Les mamans qui attendent leur premier enfant peuvent confondre les deux, notamment parce que l'expulsion du bouchon muqueux est souvent suivie de pertes vaginales importantes. Il est pourtant facile de les distinguer : le mucus est une matière gluante et visqueuse, alors que la poche des eaux libère un liquide.

Le liquide amniotique peut s'écouler lentement ou jaillir brusquement. Il ne doit pas être teinté du tout. Des pertes d'une couleur anormale (jaunâtre, verdâtre ou brunâtre) peuvent indiquer que le bébé a émis du méconium (matières fécales). Appelez tout de suite votre gynécologue car il peut avoir inhalé du méconium et en avoir fait pénétrer dans ses poumons.

« J'ai entendu dire qu'on pouvait ressentir les contractions au niveau des lombaires. »

Certaines femmes ressentent effectivement des douleurs lombaires (généralement juste au-dessus du coccyx) pendant le travail. Cela s'explique en partie par la pression de la tête du bébé sur le coccyx. La manière dont l'accouchement est perçu est variable d'une femme à l'autre et d'une grossesse à l'autre. Si vous ressentez ce type de douleurs, prenez une douche chaude (si vous êtes encore chez vous), appliquez des poches de gel froides ou chaudes, demandez à votre conjoint de vous

« Que dois-je mettre dans ma valise pour la maternité ? »

Préparez votre valise assez tôt pour ne pas vous affoler si les signes annonciateurs d'accouchement surviennent avant la date prévue.

○ Des chaussons ou une paire de chaussettes épaisses antidérapantes.

○ Plusieurs pyjamas ou chemises de nuit (en coton car les maternités sont souvent surchauffées).

○ 2 ou 3 soutiens-gorge de grossesse et des coussinets d'allaitement (même si vous n'avez pas l'intention d'allaiter).

○ Votre trousse de toilette.

○ Du baume pour les lèvres (l'air est souvent très sec dans les hôpitaux).

○ Des vêtements (larges) pour le retour à la maison.

○ Des slips jetables (ou des culottes que vous pourrez ensuite jeter).

○ Un ou plusieurs sacs pour le linge sale.

○ Un gilet ou un châle.

○ Des bodies, pyjamas et bavoirs pour le bébé. Un bonnet, un surpyjama (ou une gigoteuse), une couverture pour le retour à la maison.

○ Vos cartes d'identité, d'assurée sociale, de mutuelle, de groupe sanguin, vos résultats d'analyses...

○ Votre appareil photos, une carte mémoire supplémentaire, des piles ou un chargeur.

○ Une montre ou un réveil.

○ Des pièces de monnaie pour les distributeurs de boissons et d'en-cas.

○ Votre carnet de chèques ou votre carte de crédit pour régler la maternité (mais il est plus sage que votre conjoint les apporte le jour de la sortie).

8ᵉ mois

C'est inutile !

• Vos bijoux (sauf une montre).

• Vos médicaments (l'hôpital vous les fournira).

• Les couches et le matériel de puériculture en général (biberon, produits de toilette...) car la maternité les fournit.

• Des lectures ardues (vous n'aurez ni le temps ni l'énergie pour ça), des dossiers du bureau...

masser ou d'appuyer avec ses mains sur l'endroit douloureux. Évidemment, la péridurale soulage aussi ces douleurs.

« Y a-t-il quelque chose que je puisse faire pour éviter une césarienne ? »

Dans la plupart des cas, la césarienne est pratiquée lorsque le bébé ne peut pas sortir par les voies naturelles malgré tout ce que l'obstétricien, la sage-femme ou la maman peuvent faire pour l'y aider. L'intervention peut ainsi être décidée si votre bébé ne s'est pas retourné avant l'accouchement, s'il est particulièrement gros ou si vous présentez un placenta prævia.

Parfois, aussi, des complications survenant pendant l'accouchement imposent de pratiquer une césarienne. C'est le cas quand le travail n'avance plus (le col cesse de se dilater), quand le rythme cardiaque du bébé se ralentit ou devient irrégulier, quand le cordon ombilical s'engage en premier dans le col de l'utérus et risque d'être comprimé (prolapsus du cordon) ou lorsque le placenta se décolle brusquement de la paroi utérine (hématome rétroplacentaire).

▌ Au quotidien

« Que penser des couches lavables ? »

Les fabricants ont conçu des couches lavables bien plus pratiques qu'autrefois. Voici quelques éléments pour vous permettre d'en juger.

CONFORT Vous changez la couche dès qu'elle est pleine pour éviter l'apparition d'érythème fessier, très désagréable pour le bébé. Les couches lavables doivent néanmoins être changées un peu plus souvent. Les couches jetables « respirent » mieux, mais les produits chimiques qu'elles contiennent peuvent irriter la peau de certains bébés.

ASPECT PRATIQUE Certaines couches lavables sont pourvues de velcros ou de boutons pressions, elles ont une forme plus anatomique qu'autrefois. Les culottes comportent des bandes imperméables au niveau de la taille et des cuisses. Certains modèles comprennent un feuillet fond de couche qui se jette dans les toilettes avec son contenu : le change est alors presque aussi facile et rapide qu'avec des couches jetables. Mais, globalement, les couches lavables ne sont pas aussi absorbantes. Remarque : en crèche ou garderie, les couches jetables ont un avantage indéniable, d'autant que des études ont montré qu'elles limitaient le risque d'infection en collectivité – de nombreuses structures n'autorisent d'ailleurs pas les couches en tissu. Et en voyage, c'est une évidence, les couches lavables ne sont pas pratiques du tout.

PRIX Les couches lavables sont plus économiques (même s'il faudrait intégrer le coût en eau et électricité des lessives supplémentaires).

ENVIRONNEMENT Les choses ne sont pas aussi tranchées qu'on pourrait le croire. Certes, la fabrication des couches jetables consomme des arbres et des matières plastiques et leur utilisation génère des déchets (dont une partie est biodégradable). Mais

> Ma grand-mère qui a connu l'arrivée des premières couches jetables était horrifiée lorsqu'elle a appris que j'allais utiliser des couches lavables. Je lui ai montré que ce n'était pas aussi compliqué qu'avant, mais elle reste dubitative...

« Au début, est-il préférable d'utiliser un berceau plutôt qu'un lit à barreaux ? »

Même si vous avez dormi dans un berceau quand vous étiez bébé, tout comme votre maman et sa mère avant elle, cela ne vaut peut-être pas la peine (sauf si on vous en prête un) d'acheter un objet qui ne va servir que quelques semaines et être ensuite relégué dans un coin de la chambre ou de la maison. Optez plutôt pour un couffin et investissez dans un bon lit à barreaux bien solide.

8ᵉ mois

- Suivez bien les instructions pour le montage.
- Toutes les pièces doivent être solides et bien fixées.
- L'écartement des barreaux ne doit pas dépasser 6 cm pour que le bébé ne puisse pas passer sa tête et rester coincé.
- Le matelas doit être bien ajusté à la taille du lit.
- Optez pour un modèle réglable en hauteur, sur lequel le matelas peut être descendu au fur et à mesure que l'enfant grandit.
- Prévoyez uniquement une alèze et un drap housse bien ajusté (ni couette, ni oreiller).
- Le tour de lit n'est pas indispensable. Si vous en achetez un, veillez à ce qu'il soit bien ajusté pour que le bébé ne puisse pas coincer sa tête derrière.

« Comment sécuriser la maison ? »

Votre bébé ne va pas se déplacer avant plusieurs mois, mais vous pouvez tout de même commencer à préparer la maison pour le jour où il commencera à bouger !

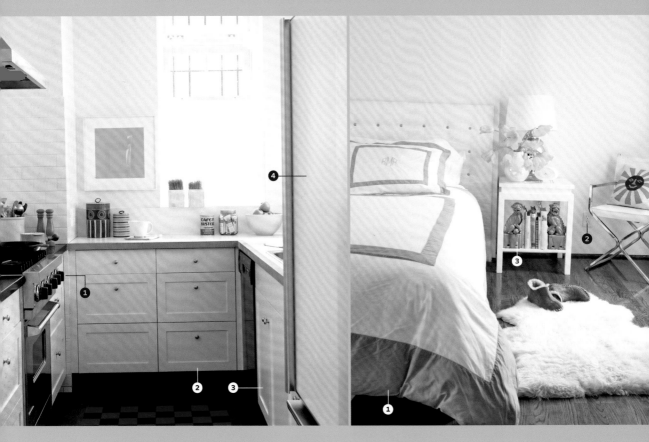

Cuisine

1. Installez une protection pour cuisinière, un bloque-four et un cache pour boutons.
2. Ne faites pas dépasser les manches de casseroles.
3. Bloquez les tiroirs et les portes.
4. Retirez les aimants du réfrigérateur.

PRUDENCE Stockez les produits ménagers en hauteur. Ne laissez jamais l'enfant sans surveillance.

Chambre

1. Ne couchez jamais un bébé sous une couette.
2. Mettez des cache-prises.
3. Retirez tous les objets fragiles.

PRUDENCE Fixez les câbles électriques et bloquez les fenêtres avec un système qui permet de les entrebâiller.

Séjour

1. Ne laissez pas pendre les cordons des rideaux.
2. Mettez des protections sur les angles des meubles.
3. Placez les objets fragiles en hauteur.
4. Ne laissez pas traîner d'objets dangereux ou de petite taille.

PRUDENCE Si vous avez une cheminée, empêchez votre enfant de s'en approcher en installant une barrière.

Noël

1. Achetez des guirlandes lumineuses conformes aux normes françaises ou européennes.
2. Accrochez les décorations fragiles en haut du sapin.
3. Ne posez pas les paquets-cadeaux par terre.

PRUDENCE Évitez le houx ou le gui, dont les baies sont toxiques en cas d'ingestion.

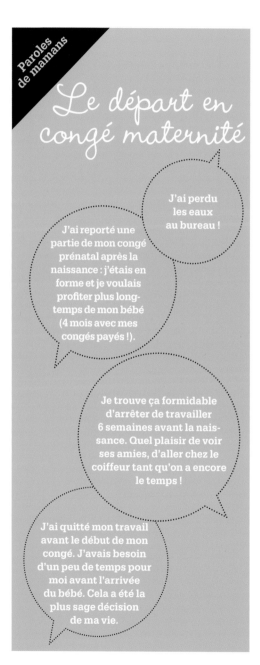

Paroles de mamans

Le départ en congé maternité

J'ai perdu les eaux au bureau !

J'ai reporté une partie de mon congé prénatal après la naissance : j'étais en forme et je voulais profiter plus longtemps de mon bébé (4 mois avec mes congés payés !).

Je trouve ça formidable d'arrêter de travailler 6 semaines avant la naissance. Quel plaisir de voir ses amies, d'aller chez le coiffeur tant qu'on a encore le temps !

J'ai quitté mon travail avant le début de mon congé. J'avais besoin d'un peu de temps pour moi avant l'arrivée du bébé. Cela a été la plus sage décision de ma vie.

le lavage des couches utilise de l'eau et de l'énergie et produit de l'eau sale qui doit être traitée (autrement dit, on perd d'un côté ce que l'on gagne de l'autre).

« Est-ce que je dois laver tous les vêtements de mon bébé avant l'accouchement ? »

Oui, lavez ses vêtements, mais aussi les housses de son lit et ses serviettes de bain avant de les mettre en contact avec sa peau. Cela permet d'enlever une partie des produits chimiques qu'ils contiennent quand ils sont neufs et qui sont susceptibles d'irriter sa peau délicate. Et puis, tout ce que vous achetez a été manipulé avant d'arriver chez vous. Utilisez une lessive pour bébé et n'ajoutez pas d'adoucissant. Un conseil toutefois : ne passez pas toute sa garde-robe à la machine car vous ne connaissez pas sa taille à la naissance et ce serait dommage de vous retrouver avec une pleine armoire de vêtements lavés impossibles à échanger. Lavez quelques vêtements que vous aimez bien, et laissez les étiquettes sur les autres jusqu'à ce que vous soyez sûre qu'ils seront portés.

« À qui dois-je envoyer des faire-part ? »

Envoyez-en au moins à votre famille et à vos amis proches. Mais rien ne vous empêche d'en adresser aussi à vos vieux amis, à vos collègues, aux amis proches de vos parents... Recevoir un faire-part n'oblige pas la personne qui le reçoit à faire un cadeau. Vous pouvez aussi annoncer la nouvelle par e-mail (sans oublier de joindre une photo !) ou sur un réseau social.

« Comment choisir un babyphone ? »

Une fois rentrée à la maison, votre plus grande crainte sera sans doute de coucher votre bébé – loin de vous, pour la première fois. Grâce au babyphone (ou écoute-bébé), vous pourrez surveiller votre bébé à distance.

RÉCEPTEURS C'est la partie que vous gardez avec vous pour entendre ce qui se passe. Certains appareils sont vendus avec un seul récepteur, mais vous pouvez en acheter un deuxième.

TAILLE Si vous avez une grande maison, les modèles qui s'attachent à la ceinture ou peuvent se glisser dans une poche sont très pratiques.

PILES OU CHARGEUR Certains babyphones fonctionnent avec des batteries rechargeables (les plus pratiques), d'autres avec des piles normales, et d'autres encore se rechargent sur leur base.

VIDÉO Les babyphones équipés de l'option vidéo permettent de voir ce qui se passe sans avoir à vous déplacer.

NUMÉRIQUE/ANALOGIQUE Les babyphones à transmission numérique sont plus chers mais ils sont plus efficaces pour limiter les interférences et protéger votre vie privée (vos voisins ne risquent pas d'entendre les sons provenant de chez vous sur leur téléphone sans fil, et vice-versa).

PORTÉE ET FRÉQUENCE Un grand nombre d'appareils émettent un signal lorsqu'on dépasse la portée maximale.

OPTIONS Vous n'avez certainement pas besoin de tout cet équipement : vision nocturne, connexion Internet pour continuer à voir votre bébé quand vous êtes au bureau, zoom… Il existe aussi des systèmes avec capteur de respiration, que l'on place sous la housse du lit.

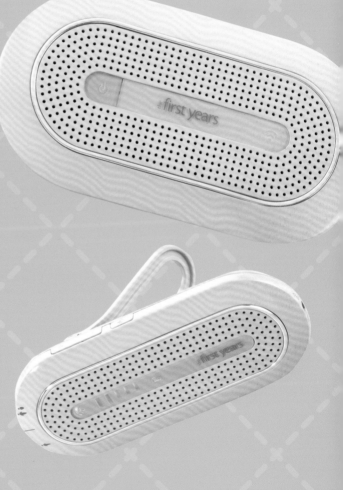

troisième trimestre | semaines 36-38

Nous y sommes !

Chapitre 9

neuvième

Nous y sommes !

mois

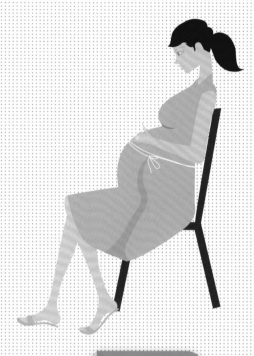

Il est presque là.

Vers la 37e ou 38e semaine, votre ventre devrait avoir atteint sa taille maximale (ouf !), ce qui n'empêchera pas votre bébé de continuer à se développer jusqu'à l'accouchement. À 37 semaines, la grossesse est considérée comme étant à terme, ce qui signifie que le bébé peut arriver à n'importe quel moment, et en pleine forme ! Après ces 9 mois de grossesse, la véritable aventure va commencer. Vous n'allez pas tarder à aider votre bébé à trouver son chemin hors de cet énorme ventre et vous le serrerez bientôt dans vos bras !

Pense-bête

- Reconnaître les signes annonciateurs du début du travail.

- Faire les derniers préparatifs pour accueillir le bébé.

- Installer le siège auto.

- Prévoir un mode de transport jusqu'à la maternité (si nécessaire).

mot à maux...

66

Je fais pipi en permanence.

Le bébé est descendu : il est placé plus bas dans mon ventre.

Je suis terrifiée par l'idée que mes intestins se vident pendant l'accouchement...

JE ME SENS ÉNORME !

Je crois que ça y est !

Enfin je vais le voir !

Mon ventre me gratte.

JE NETTOIERAIS BIEN LES REBORDS DE FENÊTRES AVEC UN COTON-TIGE...

POURQUOI AI-JE D'UN SEUL COUP AUTANT D'ÉNERGIE ?

Dépêche-toi bébé !

Je ne dors plus...

POURVU QU'IL AIT UNE PETITE TÊTE !

J'AI PERDU LES EAUX !

99

Vos questions...

▌ Chez le gynécologue

« J'ai dépassé le terme et mon gynécologue m'a donné un rendez-vous pour une surveillance du bien-être fœtal. »

Ce sont des tests qui permettent de s'assurer du bien-être du bébé. Ils ne sont réalisés que dans certains cas : le terme est dépassé, la grossesse est à risque (hypertension, diabète...), une souffrance fœtale est suspectée (diminution des mouvements fœtaux, retard de croissance...). Selon les indications et le déroulement des tests, le gynécologue décidera d'en effectuer certains mais pas d'autres.

Il est gros comment ?

37ᵉ SEMAINE
Pastèque

L'ÉTUDE DE LA RÉACTIVITÉ DU RYTHME CARDIAQUE C'est un enregistrement du rythme cardiaque fœtal (RCF) et de ses variations quand le bébé bouge (normalement, le rythme s'accélère quand le fœtus remue). Sachez que vous serez bloquée de 30 à 40 minutes (pensez à aller aux toilettes avant). Deux capteurs seront fixés sur votre ventre, un pour mesurer le rythme cardiaque du bébé et l'autre pour enregistrer ses mouvements. Si le fœtus dort, le gynécologue remuera peut-être votre ventre pour le réveiller.

UNE ÉCHOGRAPHIE L'opérateur vérifie les mouvements respiratoires du fœtus, sa tonicité musculaire, ses mouvements globaux, son rythme cardiaque et la quantité de liquide amniotique. L'examen dure environ 30 minutes. Les différents paramètres étudiés aboutissent à une évaluation appelée score de Manning ou profil biophysique fœtal (PBF).

LE TEST À L'OCYTOCINE Ce test peu courant et délicat permet d'évaluer la capacité du bébé à supporter les contractions utérines. Après une injection d'ocytocine (hormone qui déclenche les contractions), on enregistre à la fois le rythme cardiaque fœtal et les contractions. Quand le bébé va bien, son rythme cardiaque reste constant ou ne se ralentit que brièvement pendant les contractions pour revenir ensuite rapidement à la normale. Un rythme cardiaque qui se ralentit pendant les contractions et reste ensuite au même niveau peut traduire une souffrance fœtale (généralement due à un problème de placenta). Le gynécologue peut alors prendre la décision de pratiquer une césarienne ou de déclencher le travail.

LE DOPPLER C'est un examen de surveillance des grossesses à risque, qui peut être pratiqué dès le deuxième trimestre. Il est surtout indiqué en cas d'hypertension maternelle ou de suspicion de retard de croissance fœtale. Il permet d'étudier la circulation sanguine de chaque côté du placenta et, dans certains cas, au niveau des artères cérébrales du fœtus. Selon les résultats de ces tests et le terme de la grossesse, le gynécologue peut décider de

9ᵉ mois

déclencher le travail (accouchement par voie basse), de pratiquer une césarienne ou d'instaurer une surveillance étroite (toutes les 48 heures environ) ou continue (à l'hôpital).

« Mon gynécologue m'a dit que je recevrai une injection de sérum anti-Rh après l'accouchement. »

À la première consultation, votre gynécologue a demandé une recherche de votre groupe sanguin avec votre facteur Rhésus. Si vous êtes Rhésus - (environ 15 % des femmes) et que votre conjoint est Rhésus +, votre enfant peut être Rhésus + : il y a alors incompatibilité entre vos groupes sanguins. À la première grossesse, cette incompatibilité n'a normalement pas de conséquence car votre sang et celui du fœtus ne se mélangent pas. En revanche, un contact est possible lors de l'accouchement et votre organisme peut réagir en produisant des anticorps anti-Rhésus (les agglutinines irrégulières). Cette réaction n'a habituellement pas de conséquence immédiate. Mais pour la grossesse suivante, si le fœtus est aussi Rh +, les anticorps que vous avez fabriqués peuvent traverser le placenta et détruire son sang, perçu comme « étranger ». Pour prévenir cette complication, une injection de sérum anti-Rh (gammaglobulines) est systématiquement effectuée après l'accouchement : elle détruit les globules rouges du fœtus présents dans le sang maternel et empêche ainsi la production d'anticorps. À noter : cette injection peut être nécessaire après une fausse-couche, une interruption volontaire de grossesse ou durant la grossesse, dans toutes les circonstances où le sang Rh+ de l'embryon ou du fœtus est en contact avec le sang Rh- de la femme.

« À quoi sert le contrôle du col de l'utérus ? »

Le col de l'utérus est l'extrémité inférieure de l'utérus, qui s'ouvre dans le vagin. À chaque consultation, le gynécologue vérifie par un toucher vaginal qu'il est bien fermé car une béance (ouverture) du col pourrait indiquer un risque d'accouchement prématuré. À l'approche du terme (38e-39e semaines) et, surtout, au début du travail, c'est l'inverse qui se produit : le gynécologue ou, plus souvent, la sage-femme contrôle très régulièrement l'effacement et la dilatation du col qui permettront au bébé de s'engager dans le bassin. Cette ouverture du col est très progressive (c'est généralement la phase la plus longue de l'accouchement) et passe par plusieurs stades.

LA MATURATION Le col se ramollit. Il doit être mature pour pouvoir s'amincir et s'ouvrir.

L'EFFACEMENT Le col s'amincit, se raccourcit et finit par disparaître (il s'« efface » en langage médical). On mesure l'effacement en pourcentage : 0 % si le col n'est pas encore effacé et 100 % s'il l'est complètement.

LA DILATATION Le col s'ouvre. On mesure cette ouverture en centimètres, de 0 à 10 (à 10 cm, le col est suffisamment ouvert pour laisser passer la tête du bébé).

LA DESCENTE La tête du bébé s'engage dans le bassin, son sommet se trouve au niveau de l'entrée du vagin.

« Qu'est-ce que le décollement des membranes ? »

Pour « décoller » les membranes, l'obstétricien ou la sage-femme passe le doigt (recouvert d'un gant) sur les fines membranes qui relient la poche des eaux au col de l'utérus.

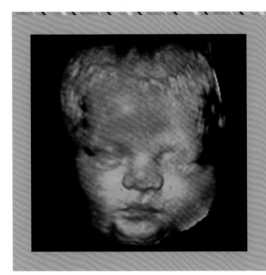

Bébé se développe

- **Il remplit tout votre abdomen.**
- **Il est de plus en plus dodu.**
- **Le cerveau continue à se développer.**
- **Le bébé s'exerce à cligner des yeux et à téter.**
- **Ses intestins se remplissent de méconium (les premières selles).**
- **Les poumons arrivent à maturité complète.**
- **Il se place normalement tête en bas pour se préparer à sortir.**
- **Tous les organes sont prêts à fonctionner.**

Ce geste entraîne la sécrétion de prostaglandines, des hormones qui font mûrir le col et peuvent déclencher les contractions. Cette manœuvre, qui peut être un peu douloureuse et dont le résultat n'est pas garanti, peut être pratiquée en cas de dépassement de terme sans complications ou au cours de l'accouchement.

▌ Vos préoccupations

« Que se passe-t-il si mon gynécologue n'est pas là le jour où j'accouche ? »

Si vous ne lui avez pas demandé auparavant qui pratiquera l'accouchement au cas où il ne serait pas là, posez-lui la question maintenant. Si vous paniquez à l'idée d'être accouchée par un obstétricien que vous ne connaissez pas, calmez-vous. Dites-vous que votre gynécologue vous laisse entre de bonnes mains. Qui plus est, vous allez passer plus de temps avec la sage-femme qu'avec lui.

« Et si j'ai l'impression que le travail a commencé et qu'on me renvoie tout de même chez moi ? »

Eh bien vous rentrerez tout simplement chez vous. Même si vous vous sentez gênée, sachez que le personnel de la maternité (ou du service des urgences) est habitué aux fausses alertes. Ne négligez pas les symptômes du début du travail par peur de vous tromper : mieux vaut arriver trop tôt que trop tard !

« Que faire si la date d'accouchement prévue est arrivée... mais pas le bébé ? »

Vous ne serez pas la première à qui cela arrive. La date prévue pour l'accouchement est une estimation et non une date limite. Néanmoins, à partir de 41 semaines

9ᵉ mois

d'aménorrhée, votre gynécologue décidera de surveiller l'état du fœtus (toutes les 48 heures généralement). Il peut aussi envisager de déclencher le travail. Par conséquent, vous n'êtes plus très loin du but !

« Puis-je déclencher le travail à la maison sans risque ? »

Les relations sexuelles et la stimulation des mamelons pourraient favoriser les premières contractions. C'est possible, mais sans garantie. On raconte que le fait de marcher, de danser ou de manger favorise le déclenchement. Vous pouvez toujours essayer, mais n'en attendez pas trop tout de même ! Si vous avez dépassé le terme, le mieux est de suivre les conseils du gynécologue ou de la sage-femme.

▎Est-ce normal ?

« J'ai ressenti une sorte de décharge électrique au niveau du vagin. À quoi est-ce dû ? »

Il s'agit d'une douleur passagère et aiguë, localisée dans le bassin ou le vagin et que certaines femmes ressentent pendant les dernières semaines de la grossesse. Elle a probablement un lien avec la dilatation du col de l'utérus ou la pression exercée par la tête du bébé sur celui-ci. Quoi qu'il en soit, même si ces douleurs sont rarement évoquées, vous n'êtes pas la seule à les ressentir.

« Est-ce fréquent d'émettre une selle pendant l'accouchement ? »

Ce n'est pas systématique, mais ce n'est pas rare non plus. En général, il s'agit d'une toute petite selle, et la sage-femme l'essuie tout simplement. Cela peut vous paraître très gênant, mais dites-vous que vous n'y ferez même pas attention (ou vous ne vous en rendrez pas compte) sur le moment.

« J'ai des pulsions de ménage et de rangement. Est-ce un signe d'accouchement imminent ? »

De nombreuses femmes éprouvent une envie subite de nettoyer leur maison à fond et de procéder à un grand rangement : elles vont frotter les joints de la baignoire avec une brosse à dents, changer complètement la disposition des meubles, vider leurs armoires... Cette sorte de « préparation du nid » est effectivement fréquente au 3e trimestre, elle est liée à la venue imminente du bébé, mais elle n'est pas, au sens strict, un signe annonciateur de l'accouchement (n'allez pas à la maternité sous prétexte que vous avez envie de mettre de l'ordre chez vous...).

« Mon ventre est plus bas qu'avant. Dois-je aller à la maternité ? »

Votre ventre change de forme car votre bébé descend et commence à s'engager dans le bassin. Vous avez sans doute moins de mal à respirer (vos poumons ont plus de place) et vous sentez peut-être la tête de votre bébé qui appuie sur le plancher pelvien (entre vos jambes) et sur votre vessie. Cette descente n'est pas considérée comme un signe annonciateur d'accouchement car elle peut se produire des jours voire des semaines avant le début du travail.

Voyez éventuellement votre gynécologue ou votre sage-femme pour qu'il ou elle contrôle l'état de votre col.

▌Est-ce dangereux ?

« Est-ce que je peux demander à mon gynécologue de déclencher l'accouchement ? »

Soyez patiente. Atteindre le terme ne signifie pas pour autant que le bébé est prêt à sortir. C'est à votre corps de savoir si le moment est venu et il est préférable de ne pas chercher à précipiter les choses si vous et votre bébé ne présentez aucune complication. Qui plus est, les déclenchements artificiels ne fonctionnent pas toujours, ils pourraient entraîner un risque plus important de rupture utérine et sont associés à un taux plus élevé de césarienne. Aujourd'hui, les déclenchements dits de convenance (ne répondant à aucune indication médicale) sont de moins en moins pratiqués.

« Pourrai-je prendre un bain après avoir perdu les eaux ? »

Une fois que la poche des eaux est rompue, le bébé n'est plus dans un milieu stérile et il existe un risque d'infection. Le bain est déconseillé, mais vous pouvez éventuellement prendre une douche rapide. Mettez une serviette hygiénique, appelez la maternité pour avertir de votre arrivée, n'oubliez pas votre valise et vos papiers et allez à la maternité.

DÉBAT

Déclenchement programmé : risqué ou pas ?

Rien ne vaut un déclenchement naturel

« Mieux vaut éviter les déclenchements programmés, sauf indication médicale naturellement. Dans notre maternité, le pourcentage de césariennes chez les primipares (pour un premier enfant) est de 8 %. Mais il passe à 44 % quand l'accouchement est déclenché artificiellement. Si le col de la future maman n'est pas mature mais que le travail est malgré tout déclenché, le risque d'accoucher par césarienne est donc plus important. » *Dr Michael C. Klein*

Le déclenchement a des avantages

« Je considère qu'il s'agit d'une gestion "active" de l'accouchement. Autrement dit, on anticipe les risques au lieu d'attendre que quelque chose se passe, notamment si le terme est dépassé. Les situations où le déclenchement augmente la survenue de complications ne sont pas si nombreuses si l'on tient compte de l'état du col de l'utérus. Autre avantage : on sait à l'avance quand on va accoucher. » *Dr James M. Nicholson*

9e mois

▌Accouchement : le compte à rebours

« À quoi ressemblent les contractions ? »

Toutes les femmes ne les ressentent pas de la même façon (vous redoutiez sans doute d'entendre cette réponse !). Pour certaines, les contractions ressemblent à des douleurs de règles extrêmement fortes. D'autres ressentent une douleur sourde qui enveloppe le bas du dos, se diffuse jusqu'au ventre et peut irradier dans les cuisses. D'autres encore éprouvent uniquement des douleurs lombaires aiguës ou seulement une douleur intense au niveau du ventre. Les premières contractions peuvent aussi évoquer une gastro-entérite (avec de la diarrhée). Lorsqu'on leur demande d'évaluer l'intensité de la douleur, les futures mamans ne donnent pas toutes les mêmes réponses, même si la douleur augmente toujours au fur et à mesure que le travail avance. Il y a peu de chances que cette expérience soit indolore (accoucher fait mal : vous le saviez déjà), mais vous serez peut-être surprise de trouver la douleur bien plus supportable que vous ne l'imaginiez. Cette douleur a un but : les contractions des muscles utérins font avancer le bébé vers la sortie.

« Faut-il chronométrer les contractions ? »

Les contractions sont l'un des signes annonciateurs de l'accouchement. Votre gynécologue vous expliquera certainement à quel moment vous devez vous rendre à la maternité. Pour ne pas y aller trop tôt (vous serez obligée de patienter longtemps sur place ou de revenir chez vous), il faut attendre que les contractions soient régulières et douloureuses, qu'elles durent de plus en plus longtemps et se

rapprochent progressivement. En pratique, on estime qu'il est temps de partir lorsque chaque contraction (ou série de contractions) dure plus de 30 secondes et survient à intervalles de 5 minutes. Ces durées sont malgré tout indicatives et vous devez naturellement tenir compte du temps de trajet jusqu'à la maternité. Pour chronométrer vos contractions, vous devez noter deux choses : l'heure à laquelle la contraction commence et celle à laquelle elle se termine. Cela vous permettra d'en déduire la fréquence et la durée (pour mesurer l'intervalle entre deux contractions, calculez le temps qui s'écoule entre le début d'une contraction – et non la fin ! – et le début de la suivante). Même pour une tâche aussi simple, vous aurez sans doute besoin de l'aide de votre mari ou compagnon car si le travail a vraiment commencé, vous serez peut-être affolée et vous aurez du mal à vous concentrer.

« Comment savoir si le travail va bientôt commencer ? »

Dans les jours qui précèdent, vous pouvez souffrir de diarrhée et les fausses contractions (contractions de Braxton-Hicks) deviennent parfois plus désagréables. Mais les trois grands signes d'accouchement imminent (qui ne sont pas forcément présents ensemble) sont la perte du bouchon muqueux, la rupture de la poche des eaux et les contractions.

LA PERTE DU BOUCHON MUQUEUX Le bouchon muqueux (voir page 118) est parfois évacué quelques semaines avant l'accouchement, mais il l'est le plus souvent juste avant le début du vrai travail. Dans les deux cas, cela signifie que les choses avancent – la voie

Tableau

Le décompte des contractions

**Vous pensez que le travail va commencer ? Notez la fréquence
et la durée de vos contractions dans ce tableau.**

	début (h/min)	fin (h/min)	durée de la contraction	temps écoulé depuis la contraction précédente
1	:	:		
2	:	:		
3	:	:		
4	:	:		
5	:	:		
6	:	:		
7	:	:		
8	:	:		
9	:	:		
10	:	:		
11	:	:		
12	:	:		
13	:	:		
14	:	:		
15	:	:		
16	:	:		
17	:	:		
18	:	:		
19	:	:		
20	:	:		

9ᵉ mois

s'ouvre pour que le bébé puisse passer. Une fois le bouchon muqueux expulsé, les pertes vaginales sont abondantes. Elles peuvent être claires, blanchâtres ou teintées de sang du fait de l'éclatement de petits vaisseaux. Cela signifie que le col a commencé à s'amincir et/ou à se dilater. Le travail devrait débuter dans les jours – ou les heures – qui suivent (appelez immédiatement votre gynécologue si vous constatez un écoulement de sang rouge vif, comme des règles).

LA RUPTURE DE LA POCHE DES EAUX Le sac qui contient le liquide amniotique s'ouvre et celui-ci s'écoule. La perte des eaux (impossible à confondre avec des pertes vaginales ou une incontinence urinaire) peut se faire lentement ou rapidement selon les femmes. Elle survient généralement dans les heures qui précèdent le début du travail. Si cela se produit, appelez la maternité et votre gynécologue pour les en informer. Si le travail ne commence pas rapidement, il sera probablement déclenché.

LES CONTRACTIONS Elles deviennent régulières, plus longues, plus fortes et plus rapprochées. Elles ne s'arrêtent pas et leur intensité ne diminue pas si vous marchez, si vous changez de position ou si vous prenez un antispasmodique.

« Comment savoir si le vrai travail a commencé ou s'il s'agit d'un faux travail ? »

S'il s'agit d'un faux travail, les contractions ne sont pas régulières (vous pouvez en avoir trois à intervalle de 4 minutes, puis plus rien pendant 20 minutes) et leur fréquence n'augmente pas. La douleur ne s'intensifie pas au fil du temps et il suffit que vous marchiez un peu,

que vous changiez de position ou que vous preniez un antispasmodique (prescrit par votre gynécologue) pour être soulagée.

« Saigner au cours des dernières semaines de grossesse signifie-t-il que le travail commence ? »

Parfois, mais pas toujours. Des sécrétions teintées de sang sont fréquentes après la perte du bouchon muqueux, mais elles sont aussi possibles en dehors de tout signe annonciateur d'accouchement, notamment après un toucher vaginal ou dans les 48 heures qui suivent un rapport sexuel. Des saignements légers en fin de grossesse peuvent aussi être le signe d'une affection de type fibrome ou inflammation utérine. Appelez immédiatement votre gynécologue si vous saignez beaucoup et que le sang est bien rouge – cela peut être le symptôme d'un problème au niveau du placenta (décollement du placenta ou placenta praevia).

« Quand vais-je perdre les eaux ? »

Il est impossible de répondre à cette question. De plus, seule une minorité de femmes perdent les eaux avant le début du travail. Vous pouvez en faire partie, mais il se peut aussi que votre poche des eaux se rompe au cours de l'accouchement seulement ou que le gynécologue décide de la rompre lui-même avec un instrument appelé perce-membrane.

« Comment soulager les douleurs pendant l'accouchement ? »

La douleur peut être atténuée ou supprimée de plusieurs façons, la technique la plus courante étant la péridurale.

Le soulagement de la douleur

Je voulais que les choses se passent naturellement mais j'ai finalement été déclenchée.

L'anesthésiste s'y est repris à 7 fois, ce qui m'a valu un énorme hématome, mais je n'ai rien regretté !

Je n'ai pas supporté l'effet des ocytocines et j'ai fini par avoir une péridurale.

La péridurale me faisait peur, mais quel soulagement quand elle fait effet ! L'accouchement a été très long, j'ai eu droit aux forceps et à l'épisiotomie, mais je n'ai absolument rien senti.

LES ANALGÉSIQUES SYSTÉMIQUES Il s'agit de médicaments injectés dans un muscle ou une veine. Ils agissent sur l'ensemble du système nerveux pour atténuer la douleur (sans la supprimer totalement). Ils peuvent provoquer des nausées, mais un autre médicament est alors administré pour limiter cet effet secondaire. Ces analgésiques sont le plus souvent donnés en début de travail car ils risquent de ralentir les réflexes et la respiration du bébé s'ils sont administrés trop près de l'expulsion.

LA PÉRIDURALE Elle consiste à injecter un produit analgésique (qui anesthésie partiellement en cas d'accouchement par voie basse) ou anesthésiant (qui provoque une anesthésie plus importante en cas de césarienne ou d'extraction instrumentale) dans l'espace péridural, c'est-à-dire dans la membrane qui enveloppe la moelle épinière, entre la 4e et la 5e vertèbre lombaire. L'anesthésiste commence par injecter un anesthésique local avant d'introduire l'aiguille de péridurale. Il met ensuite en place un cathéter (tube souple) par lequel il pourra réinjecter du produit analgésiant ou anesthésiant jusqu'à la fin de l'accouchement – à moins que le produit ne soit administré en continu. Le produit fait de l'effet au bout de 10 à 20 minutes. La péridurale peut entraîner des effets secondaires : démangeaisons, frissons, tremblements, baisse de la pression artérielle, maux de tête après l'accouchement. Dans de rares cas, le produit peut pénétrer dans une veine et provoquer des vertiges ou des convulsions. Il peut aussi passer dans le liquide rachidien et entraîner une gêne respiratoire en agissant sur les muscles de la poitrine (mais c'est également rare).

9e mois

LA RACHIANESTHÉSIE C'est une anesthésie loco-régionale comme la péridurale. Elle est effectuée au niveau des lombaires, mais l'injection est plus profonde et le bas du corps est instantanément insensibilisé. Comme la rachianesthésie ne dure qu'une à deux heures (sans possibilité de réinjection), l'anesthésiste attend généralement le moment des poussées pour la réaliser. Les effets secondaires sont les mêmes que pour une péridurale.

LA COMBINAISON PÉRIDURALE/ RACHIANESTHÉSIE Elle consiste à injecter un produit à la fois dans l'espace péridural et dans le liquide céphalorachidien. Le soulagement est instantané et l'administration supplémentaire de produit par l'intermédiaire de la péridurale est possible jusqu'à la fin de l'accouchement.

L'ANESTHÉSIE LOCALE Elle n'évite pas la douleur des contractions, mais elle permet d'anesthésier une zone limitée (le périnée avant une épisiotomie ou une suture, par exemple).

L'ANESTHÉSIE GÉNÉRALE Elle n'est indiquée que dans certains cas : césarienne décidée en grande urgence, usage de forceps au moment de l'expulsion, péridurale ou rachianesthésie contre-indiquées ou impossibles à réaliser. Les produits administrés agissent très rapidement : la patiente est endormie et respire par l'intermédiaire d'un tube introduit dans la trachée.

DES MÉTHODES ALTERNATIVES Si vous préférez vous passer de médicaments, l'acupuncture ou l'électrostimulation transcutanée (à base de petites impulsions électriques) vous aideront peut-être.

DÉBAT
La circoncision... utile ou pas ?

Il n'y a aucune raison de retirer le prépuce

« Tous les arguments « médicaux » en faveur de cet acte ont été réfutés depuis longtemps. Elle est douloureuse et le traumatisme qu'elle provoque reste profondément ancré dans la mémoire du bébé. Elle peut provoquer une hémorragie et, à terme, des complications chroniques, notamment des troubles de l'érection. »
Dr. Mark D. Reiss

Une mesure de prévention

« La circoncision constitue une mesure de prévention. Un enfant non circoncis a plus de risques de contracter une infection urinaire pendant sa première année de vie et, une fois adulte, de contracter une infection à papillomavirus (qui peut évoluer en cancer du pénis chez l'homme et en cancer du col de l'utérus chez la femme). » *Dr. Edgar Schoen, MD*

« Je dois accoucher par césarienne. Quelles sont les solutions possibles ? »

Pour une césarienne, on pratique une péridurale, une rachianesthésie ou une anesthésie générale. Vous n'aurez pas forcément le choix. Votre gynécologue peut tenir compte de votre avis, mais c'est lui qui prend la décision finale en fonction de l'état de santé du bébé et du vôtre. Sous anesthésie générale, vous serez endormie pendant la césarienne. Avec une péridurale ou une rachianesthésie, le bas de votre corps sera anesthésié, mais vous resterez éveillée. Essayez de ne pas trop vous faire de souci. Dites-vous que la césarienne est un acte relativement courant et que, quel que soit le type d'anesthésie choisi, votre bébé sera là en très peu de temps.

> Mon bébé s'est retourné vers la 30-31ᵉ semaine. Je l'ai senti changer de position. Tant qu'ils ont assez de place, les bébés peuvent faire la galipette seuls, sans manipulation externe.

« Comment mon bébé doit-il se présenter ? »

Idéalement, le bébé se présente la tête en bas et sort le visage tourné vers votre dos. Il fléchit la tête en s'engageant dans le bassin et présente donc le haut du crâne quand il sort (d'où la forme de cône que l'on observe chez la plupart des nouveau-nés). Cette position facilite l'expulsion.

« Qu'est-ce que la version par manœuvre externe ? »

Il s'agit d'une manœuvre effectuée par le gynécologue quand le bébé se présente par le siège. Une échographie préalable permet de vérifier la position du bébé, son rythme cardiaque, la position du placenta et la quantité de liquide amniotique.

La manœuvre elle-même est souvent exécutée sous contrôle échographique pour guider les gestes et suivre le rythme cardiaque du bébé. Un médicament est prescrit pour détendre l'utérus et faciliter la manœuvre. Le gynécologue pose ses mains sur le ventre, il appuie et pousse pour déplacer le bébé et le faire basculer dans la bonne position. Cette manœuvre n'est pas réalisée avant la 36ᵉ semaine car, avant cette date, le bébé peut encore effectuer une galipette : même si le gynécologue a réussi à le retourner, il peut de nouveau se retrouver fesses vers le bas. Ce geste est efficace dans plus de 50 % des cas. Cela vaut donc la peine d'essayer. Les complications sont rares, mais la version par manœuvre externe se pratique généralement à proximité d'une salle d'accouchement pour que le bébé puisse naître rapidement en cas (improbable) de rupture des membranes, de problème du rythme cardiaque, de décollement placentaire ou de travail prématuré.

« Que faire pour que mon bébé se retourne ? »

Malheureusement, il n'existe aucune technique infaillible pour que le bébé se retourne. Malgré tout, voici deux méthodes à essayer : elles ne sont pas forcément efficaces, mais elles ne seraient pas non plus complètement inutiles (elles auraient permis à un certain nombre de bébés de se retourner).

LA POSITION GENOUX-POITRINE Installez-vous sur votre lit et prenez appui sur vos mains et vos genoux (comme si vous vouliez marcher

9ᵉ mois

à quatre pattes). Posez la tête, les épaules et la poitrine à plat sur le matelas. Si votre ventre appuie sur vos cuisses, reculez vos genoux jusqu'à ce qu'il soit dégagé. Essayez de tenir la position 15 minutes et recommencez toutes les deux heures.

LA MOXIBUSTION Un acupuncteur expérimenté, habitué à ce type de pratique, serait capable d'inciter le bébé à se retourner en faisant brûler une plante appelée moxa (armoise) près du petit orteil de la maman (ce n'est pas une blague !).

« Mon bébé ne s'est toujours pas retourné. Est-ce que la césarienne est inévitable ? »

Si la date d'accouchement prévue est proche et que votre bébé se présente toujours par le siège, votre gynécologue tentera peut-être de le retourner « à la main » (version par manœuvre externe). Sinon, effectivement, la plupart des bébés qui se présentent par le siège naissent par césarienne car un accouchement par les voies naturelles peut être assez difficile dans ces conditions. La tête du bébé est la partie la plus large de son corps. Quand elle sort la première, elle dilate suffisamment le col de l'utérus pour que le reste passe ensuite assez facilement. Mais si le corps sort en premier (c'est le cas lorsque le bébé se présente par les fesses), le col de l'utérus ne se dilate pas forcément assez pour que la tête, plus grosse, passe. Le risque de prolapsus du cordon ombilical est également plus élevé : le cordon qui descend dans le col de l'utérus avant la tête du bébé peut être comprimé, ce qui altère les échanges sanguins (et présente un grave danger pour le bébé).

▌Au quotidien

« Nous souhaitons passer une dernière soirée en amoureux ! »

Vous avez raison, une fois que le bébé sera là, les moments d'intimité avec votre compagnon risquent d'être rares les premiers mois (voire les premières années !). Profitez au maximum des soirées qui vous restent avant de devenir parents.

ALLEZ AU CINÉMA Vous aurez peu l'occasion d'y aller après la naissance et même ensuite (vous irez surtout voir des dessins animés !). Offrez-vous un bon film sur grand écran avant d'être coincé devant votre téléviseur.

DÎNEZ AUX CHANDELLES Difficile de préparer un petit dîner romantique à la maison avec un nourrisson ! Cuisinez tous les deux ou bien commandez votre repas et blottissez-vous l'un contre l'autre dans le canapé du salon.

SORTEZ ENTRE ADULTES Sortez avec des amis qui n'ont pas d'enfants et profitez de ce moment entre adultes avant que votre bébé ne prenne le dessus. Essayez de ne pas (trop) parler de lui. Certes, vous ne serez pas seuls tous les deux, mais vous pourrez profiter de ce moment pour considérer votre partenaire autrement que comme le futur père de votre enfant.

« Faut-il encore manger équilibré et faire de l'exercice ? »

Vous pouvez vous relâcher un peu pendant les dernières semaines de votre grossesse, mais dites-vous bien qu'en gardant vos bonnes habitudes, vous contribuez aussi à votre bien-être. En continuant à vous dépenser (avec modération) et en mangeant correctement, vous prenez moins de poids, vous faites le plein d'énergie et vous êtes évidemment en meilleure forme pour l'arrivée de votre bébé.

« Quelles sont les phases de l'accouchement ? »

Même si chaque accouchement est unique, les choses se déroulent grosso modo de la façon suivante.

Le premier stade : la dilatation

C'est la phase la plus longue (environ 8 heures pour un premier enfant).

LE PRÉ-TRAVAIL Le col de l'utérus se ramollit, s'efface (s'amincit) et commence à se dilater, passant de 0 à 3 cm. Les contractions sont faibles ; elles reviennent toutes les 5 à 20 minutes et durent de 30 à 60 secondes.

CE QU'IL FAUT FAIRE
○ Reposez-vous ;
○ Videz régulièrement votre vessie (une vessie pleine ralentit le travail) ;
○ Déplacez-vous, marchez entre les contractions ;
○ Chronométrez vos contractions ;
○ Partez à la maternité quand les contractions reviennent toutes les 5 minutes et durent plus de 30 secondes.

LE TRAVAIL EFFECTIF Le col de l'utérus s'ouvre, la dilatation passant de 3 à 7 cm. Les contractions s'intensifient et reviennent toutes les 2 à 4 minutes. Elles durent entre 40 et 75 secondes.

CE QU'IL FAUT FAIRE
○ Faites des exercices de respiration ;
○ Détendez-vous entre les contractions ;
○ Marchez si vous le pouvez.

LA FIN DU PREMIER STADE (PHASE DE TRANSITION) La dilatation du col se poursuit jusqu'à 10 cm. Les contractions durent 2 à 3 minutes et reviennent toutes les 60 à 90 secondes.

CE QU'IL FAUT FAIRE
○ Respirez comme vous avez appris à le faire ;
○ Ne poussez pas tant que l'obstétricien ou la sage-femme ne vous le demande pas.

Le deuxième stade : l'expulsion

Elle débute lorsque vous êtes à dilatation complète (plus de 10 cm). Les contractions durent environ 60 à 90 secondes, mais elles peuvent s'espacer (en général, de 2 à 5 minutes).

CE QU'IL FAUT FAIRE
○ Continuez à respirer ;
○ Essayez de rester calme et concentrée ;
○ Reposez-vous entre les contractions ;
○ Poussez de toutes vos forces quand la sage-femme ou l'obstétricien vous le demande.

Le troisième stade : la délivrance

Une fois que le bébé est né, l'utérus se contracte à nouveau (moins fort) pour expulser le placenta. Cela dure en principe 5 à 10 minutes, parfois un peu plus (30 minutes). La sage-femme appuie sur le ventre pour faciliter le décrochage du placenta. Ensuite, l'obstétricien recoud les tissus déchirés ou incisés (en cas d'épisiotomie), et l'accouchement est terminé !

9e mois

Le grand jour

« Que va-t-il se passer à la maternité ? »

Tout dépend des procédures propres à chaque établissement. Mais les grandes lignes sont en principe les mêmes partout. Vous commencez par vous rendre au service d'accueil (cela ne prendra pas beaucoup de temps car vous êtes déjà inscrite et vous avez peut-être déjà rempli un formulaire de pré-admission). Ensuite, vous serez conduite en salle d'examen, où la sage-femme vérifiera le degré de dilatation de votre col pour s'assurer que le vrai travail a commencé, ou directement en salle de travail (ou de naissance). La sage-femme vous posera des questions pour savoir où vous en êtes : quand vos contractions ont-elles commencé, sont-elles rapprochées, avez-vous perdu les eaux ? Elle vous demandera de vous déshabiller et d'enfiler une blouse ouverte dans le dos. Une fois installée sur le lit, elle mesurera vos paramètres vitaux (pouls, pression artérielle, température, respiration), procédera à un examen gynécologique (mesure de la dilatation du col, souplesse du périnée…) et à une évaluation de la présentation du bébé. Elle posera un monitoring pour suivre le rythme cardiaque du bébé et mesurer vos contractions. Tant que ce contrôle est intermittent et que la péridurale n'est pas administrée, vous pourrez vous déplacer. La sage-femme vous posera enfin une perfusion qui permet, entre autres, d'injecter des ocytocines.

« L'obstétricien devra-t-il rompre la poche des eaux ? »

Si la poche des eaux (sac rempli de liquide amniotique également désigné sous le nom de membranes) ne s'est pas rompue spontanément avant votre arrivée à la maternité et que vous êtes au moins à 5 cm de dilatation, l'obstétricien ou la sage-femme décideront sans doute de la rompre eux-mêmes, surtout si votre col ne se dilate plus ou se dilate trop lentement (certains obstétriciens prennent les devants et la rompent à 3 ou 4 cm de dilatation). Cette rupture artificielle des membranes donne générale-ment un coup d'accélérateur au travail en déclenchant de fortes contractions. Si le travail progresse correctement, l'obstétricien peut décider d'attendre que la poche des eaux se rompe d'elle-même au cours du tra-vail – les contractions ont en effet tendance à être plus douloureuses une fois que l'on a perdu les eaux. À noter : il arrive que le sac reste intact jusqu'à l'expulsion du bébé, ce qui n'est pas un problème.

Pour percer la poche des eaux, le médecin ou la sage-femme utilisent une sorte de crochet appelé perce-membrane. Il est possible que vous ayez une sensation désagréable au moment où l'instrument pénètre dans le vagin, mais le plus spectaculaire dans la plupart des cas est l'énorme flot d'eau tiède qui s'écoule quand la poche se vide.

« Comment s'assure-t-on que le bébé va bien ? »

Le rythme cardiaque du bébé est surveillé dès le début du travail par monitoring fœtal externe. La sage-femme fixe une sangle munie de deux capteurs sur l'abdomen de la maman. Ces capteurs sont reliés à un moniteur qui enregistre d'une part les contractions utérines et d'autre part les battements cardiaques du bébé. Ce contrôle permanent est aujourd'hui quasi systématique dans les maternités.

La salle de naissance

Tête du lit Sur le mur sont installés notamment le système d'appel aux infirmières ou sages-femmes, ainsi qu'un dispositif d'arrivée d'oxygène.

Monitoring des paramètres hémody-namiques Cet appareil enregistre les pulsations cardiaques de la mère, sa pression artérielle et la saturation en oxygène.

Monitoring fœtal La sangle passée autour du ventre contient des capteurs reliés à deux appareils qui enregistrent le rythme cardiaque du bébé et les contractions de la maman.

Table de soins chauffante Cet équipement permet de maintenir le bébé au chaud pendant les premiers soins et les premiers examens.

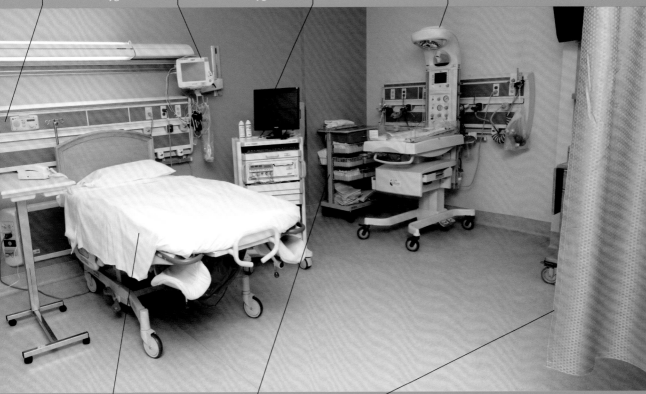

Lit Il est articulé : la partie inférieure se rabat et la partie supérieure se relève pour faciliter l'expulsion. Il peut aussi être muni de poignées latérales pour permettre à la maman de se tenir quand elle pousse.

Chariot Il contient toutes les fournitu-res utiles pendant l'accouchement : serviettes hygiéni-ques, matériel pour perfusion, compresses...

Rideau de séparation Il permet de créer un peu d'intimité durant le travail et au moment de l'expulsion.

Un monitoring fœtal interne est parfois mis en place, notamment lorsque l'obstétricien suspecte un risque de souffrance fœtale. Une électrode enregistrant les pulsations cardiaques du bébé est insérée dans l'utérus et fixée sur la tête du bébé. Cela suppose que le col soit suffisamment dilaté et que la poche des eaux soit rompue. L'enregistrement des contractions se fait quant à elle soit par le biais d'une électrode placée dans l'utérus, soit par un capteur fixé sur le ventre maternel comme dans le monitorage externe. Le monitoring interne n'est mis en œuvre que lorsqu'il est vraiment nécessaire car il présente quelques risques (d'irritation ou d'infection, notamment).

« Que dois-je absolument savoir sur la maternité ? »

Toutes les maternités ne sont pas conçues de la même façon. Vous pouvez rester dans la même salle pendant toute la durée de l'accouchement, ou passer d'une salle de travail à une autre, dédiée à l'expulsion, avant d'être conduite dans une salle de récupération, puis dans votre chambre. Certaines maternités portent une attention particulière au confort et à l'ambiance de la salle de naissance, mais le plus souvent, il faut bien le dire, celle-ci ressemble simplement à une salle d'hôpital. Si vous en avez la possibilité, visitez les lieux avant le jour J de manière à vous sentir bien et à être préparée à toute éventualité.

« Quelles sont les positions qui peuvent favoriser le travail ? »

Les différentes positions possibles ne sont pas ressenties de la même façon par toutes les femmes. C'est donc à vous de trouver celle qui vous convient le mieux. Cela étant dit, en voici quelques-unes qui ont fait leurs preuves.

À QUATRE PATTES Appuyez-vous sur vos genoux et vos mains, par terre sans cambrer le dos. Posez votre tête sur vos avant-bras si vous êtes plus confortable ainsi.

ACCROUPIE Faites asseoir le papa sur une chaise, jambes écartées. Installez-vous debout entre ses jambes en lui tournant le dos et accroupissez-vous en écartant largement les cuisses (comme si vous vouliez faire de la place au bébé). Passez vos bras autour des cuisses de votre partenaire pour vous tenir et demandez-lui de vous masser les épaules.

DEBOUT Mettez-vous debout face à votre partenaire, les bras autour de son cou. Appuyez-vous contre lui ou accrochez-vous à ses épaules et balancez-vous. Ce mouvement peut aider à supporter certaines douleurs de contractions.

ALLONGÉE SUR LE CÔTÉ GAUCHE C'est un bon moyen de se reposer entre les contractions ; cela favorise aussi la circulation sanguine et l'oxygénation du bébé.

« À quoi sert la perfusion pendant l'accouchement ? »

La perfusion permet de vous maintenir hydratée tout au long de l'accouchement. Elle peut, si nécessaire, servir à vous administrer une solution glucosée pour éviter une hypoglycémie, des médicaments (tranquillisant ou médicament régularisant la pression artérielle, par exemple) ou des ocytocines pour améliorer l'efficacité des contractions. N'hésitez pas à demander à la sage-femme quel produit on vous perfuse.

« Quels sont ces instruments ? »

Ne soyez pas effrayée à la vue d'une sage-femme portant une charlotte, un masque
et des gants stériles. Cela veut tout simplement dire que l'heure de la naissance approche,
et pas qu'il se passe soudain quelque chose de grave. Voici quelques-uns des instruments
qui peuvent être utilisés.

Forceps Il faut bien admettre que cet instrument est un peu effrayant. Il sert à faire glisser le bébé dans la bonne position ou à guider la tête hors du vagin.

Ventouse Si les efforts de poussée sont inefficaces, on utilise cet instrument pour aider le bébé à sortir (on le fixe sur sa tête).

Pince à hémostase Cette pince est utilisée pour contenir les saignements, maintenir les sutures et, surtout, pour couper le cordon ombilical.

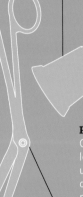

Perce-membrane Cette sorte de long crochet est utilisée au début de l'accouchement pour percer la poche des eaux si elle ne s'est pas rompue spontanément.

Scalpel Cet instrument ne sera sans doute utilisé qu'en cas de césarienne, mais le médecin en a toujours un à portée de main.

Ciseaux à épisiotomie Ils servent à inciser le périnée lorsqu'une épisiotomie doit être pratiquée.

Vous verrez aussi :

PINCE A COMPRESSES Elle sert simplement à tenir les compresses.

COMPRESSES ABDOMINALES Si vous saignez, elles permettent de contenir l'hémorragie.

FLACONS D'EAU STÉRILE Ils servent à tout garder propre durant l'accouchement.

FILS DE SUTURE Le médecin les utilisera pour vous recoudre en cas de déchirure.

9ᵉ mois

« Le médecin dit qu'il reste une « lèvre » quand il m'examine. Qu'est-ce ? »

En gros, cela signifie que vous êtes arrivée à dilatation complète mais que le bord du col de votre utérus (généralement la partie antérieure) est un peu enflé et qu'il se trouve toujours sur le passage de la tête du bébé. Le médecin peut attendre que le col se mette spontanément dans la bonne position, ou il peut essayer d'écarter lui-même le bord avec les doigts au moment où vous poussez pour expulser le bébé. Attendez bien qu'il vous donne le feu vert pour pousser – car si cette lèvre n'est pas écartée, l'expulsion du bébé risque d'être un peu compliquée.

« Qu'est-ce qu'un prolapsus du cordon ? »

On parle de prolapsus du cordon ombilical lorsque ce dernier s'engage dans le col de l'utérus avant le bébé. Dans ce cas, une compression peut s'exercer sur le cordon et priver le bébé d'une partie de l'oxygène dont il a besoin. Dans la mesure où cette situation est très dangereuse pour le bébé, elle impose de pratiquer une césarienne en urgence. Si vous avez l'impression de sentir le cordon dans votre vagin (c'est possible, notamment après avoir perdu les eaux), faites-vous conduire immédiatement à la maternité, en vous installant si possible à quatre pattes (pour limiter le plus possible la pression sur le cordon) à l'arrière de la voiture, ou bien appelez les secours d'urgence. Tout sera mis en œuvre pour faire rapidement sortir le bébé. Le prolapsus du cordon ombilical est plus fréquent en cas d'accouchement prématuré ou de présentation par le siège, mais il reste rare (environ 1 naissance sur 1 000). Vous

avez donc peu de risques d'être confrontée au problème.

« Que se passe-t-il quand le cordon s'enroule autour du cou du bébé ? »

La circulaire du cordon ombilical (son enroulement autour du cou du fœtus) survient assez souvent, dans environ 25 % des accouchements. La plupart du temps, l'enroulement reste assez lâche et ne pose pas de problème. L'obstétricien fait simplement glisser le cordon par-dessus la tête du bébé au moment de la naissance, ou bien il le clampe et le coupe s'il est enroulé trop serré. Mais si le cordon est trop serré, la circulation sanguine peut être altérée et le fœtus risque un étranglement. Cette complication peut se manifester par une baisse de l'activité fœtale (avant l'accouchement) ou un rythme cardiaque anormal (avant l'accouchement ou une fois le travail déclenché).

« À quoi ressemblent le placenta et le cordon ombilical après leur expulsion ? »

Le cordon ressemble à un tuyau souple, spongieux et entortillé. Il est constitué de deux artères et d'une veine, entourées d'une gelée blanchâtre translucide. Le placenta, également spongieux, ressemble à une sorte de gâteau. Il est gros, plein de sang et de veines, grumeleux, avec une face rouge (fixée à la paroi utérine) et l'autre gris argenté (contre laquelle le bébé a passé les mois de grossesse).

« Qu'est-ce qu'une épisiotomie ? »

L'épisiotomie est une incision pratiquée dans le périnée (la peau qui se trouve entre le vagin

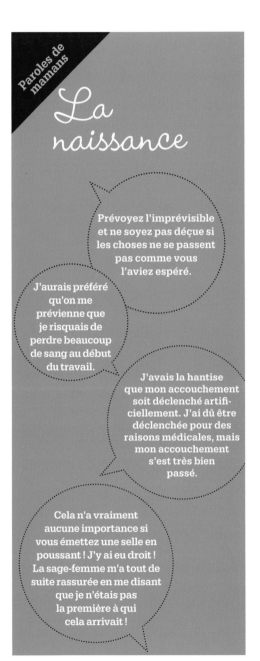

Paroles de mamans

La naissance

Prévoyez l'imprévisible et ne soyez pas déçue si les choses ne se passent pas comme vous l'aviez espéré.

J'aurais préféré qu'on me prévienne que je risquais de perdre beaucoup de sang au début du travail.

J'avais la hantise que mon accouchement soit déclenché artificiellement. J'ai dû être déclenchée pour des raisons médicales, mais mon accouchement s'est très bien passé.

Cela n'a vraiment aucune importance si vous émettez une selle en poussant ! J'y ai eu droit ! La sage-femme m'a tout de suite rassurée en me disant que je n'étais pas la première à qui cela arrivait !

et l'anus) pour aider le bébé à sortir. Certains obstétriciens en font systématiquement une pour éviter une déchirure spontanée anarchique, d'autres décident au cas par cas selon la distension de l'orifice vaginal et leur évaluation du risque de déchirure spontanée. Aujourd'hui, les épisiotomies ont tendance à être plus rares qu'autrefois, mais la plupart des obstétriciens continuent à les pratiquer dans certaines situations, par exemple pour accélérer l'expulsion en cas de signes de détresse fœtale ou lorsqu'une extraction instrumentale (forceps, ventouse) est nécessaire. Une anesthésie locale peut être réalisée, sauf si vous êtes sous péridurale. L'obstétricien incisera ensuite le périnée, soit en ligne droite vers l'anus soit latéralement. Une fois le bébé né, il vous fera si nécessaire une nouvelle anesthésie locale (vous sentirez juste un pincement) et effectuera quelques points de suture dont les fils se résorberont en quelques semaines.

« Dans quels cas mon obstétricien peut-il décider de pratiquer une césarienne en urgence ? »

Une césarienne est pratiquée lorsqu'un événement présente un risque pour la maman ou le bébé : prolapsus du cordon (le cordon ombilical sort avant le bébé), décollement placentaire (le placenta commence à se détacher et provoque une hémorragie chez la maman et le bébé), présentation par le siège (par les fesses et non par la tête), détresse fœtale... Il arrive aussi qu'une césarienne soit pratiquée en urgence si le travail n'avance plus ou s'il dure trop longtemps, surtout si la poche des eaux est rompue depuis longtemps (une fois qu'il ne baigne

9e mois

plus dans le liquide amniotique, le bébé est exposé aux infections).

« Comment se déroule une césarienne ? »

Que la césarienne soit programmée (pour éviter des complications ou parce que le bébé se présente mal) ou qu'elle soit pratiquée en urgence, les choses se passent plus ou moins de la même façon.

Pour commencer, une infirmière vous prépare pour l'intervention. Elle rase votre pubis, elle vous pose une perfusion dans le bras ou la main pour qu'on puisse vous injecter des médicaments et des liquides pendant l'intervention, elle place une sonde urinaire dans votre vessie pour la vider au cours de l'opération et vous couvre la tête d'une jolie charlotte. Pour les césariennes programmées, l'anesthésie est généralement loco-régionale (rachianesthésie, péridurale ou les deux combinées). Pour les césariennes d'urgence, une anesthésie générale peut être indiquée (voir pages 136-137).

La plupart du temps, le partenaire peut assister à l'intervention – il doit juste se désinfecter soigneusement les mains et porter un masque et une charlotte. Et ne vous inquiétez pas : vous ne risquez pas vous ou votre compagnon d'être dégoûtés par ce que vous voyez car, la plupart du temps, un champ tendu en travers de la poitrine empêche de voir ce qui se passe.

Une fois que vous êtes endormie ou insensibilisée, l'obstétricien incise la peau verticalement ou transversalement juste au-dessus des poils pubiens (les muscles peuvent être déplacés ; la plupart du temps ils n'ont donc pas besoin d'être incisés). Ensuite, il pratique une autre incision verticale ou transversale dans la paroi utérine. En règle générale, il privilégie l'incision transversale dans la partie basse, plus fine, de l'utérus ce qui limite le saignement et permet une meilleure cicatrisation. Mais, dans certains cas, par exemple si le bébé est très prématuré et ne se présente pas la tête en bas, une incision verticale peut s'avérer nécessaire.

Vient ensuite la partie la plus réjouissante : le médecin extirpe délicatement le bébé des chairs incisées ! Juste après la naissance, il coupe le cordon ombilical (ou laisse le soin au papa de le faire) et sort le placenta. L'utérus est ensuite suturé avec des fils résorbables, et la peau de l'abdomen est refermée par des points ou des agrafes. On vous laisse éventuellement prendre votre bébé quelques secondes dans les bras (tout dépend de l'état de santé du bébé et de votre état de conscience). Quoi qu'il en soit, sauf en cas de problème médical majeur, vous êtes rapidement conduite dans une autre salle où vous pouvez vous laisser aller à l'émerveillement devant votre petite chose.

« À quoi ressemblera mon bébé quand il finira par sortir ? »

C'est certain, tous les nouveau-nés sont magnifiques. Mais si l'on se base sur des critères esthétiques objectifs, il faut bien admettre qu'ils ont tendance à ressembler à des petites larves qui viennent de sortir d'un tuyau étroit où ils ont été comprimés après avoir baigné 9 mois dans un liquide. Les bébés nés par voie naturelle ont souvent une tête en forme de cône (ceux qui naissent par césarienne n'ont pas de ce « défaut »). Et, quel que soit le chemin emprunté, ils sont

« Qui est présent dans la salle de naissance pendant l'accouchement ? »

Bonne question. Mieux vaut savoir avant qui s'activera autour de vous, vous examinera éventuellement et assistera à un moment aussi intime de votre vie. Toutes les maternités ne fonctionnent pas de la même façon, mais voici pour l'essentiel le personnel qui peut être présent ou de passage en salle de naissance.

SAGE-FEMME ET OBSTÉTRICIEN Dans les hôpitaux publics, la sage-femme effectue la totalité de l'accouchement sans l'aide de l'obstétricien, sauf en cas de problème particulier. Dans les cliniques privées, elle accompagne la maman durant tout l'accouchement mais c'est l'obstétricien qui intervient au moment de l'expulsion. La sage-femme ou le gynécologue-obstétricien qui a suivi la maman tout au long de sa grossesse peut, dans certains cas (dans les cliniques privées surtout), être celle ou celui qui l'assiste au moment de l'accouchement.

ANESTHÉSISTE Il peut intervenir à tout moment. Il peut être assisté d'une infirmière anesthésiste.

INFIRMIÈRE Elle peut être appelée en renfort d'un autre service en cas de besoin.

PÉDIATRE Il est appelé dans certains cas : prématurés, jumeaux, liquide amniotique contenant du méconium, malformation prévue, souffrance fœtale, usage de forceps...

INFIRMIÈRE PUÉRICULTRICE Elle est présente dans le service au cas où la sage-femme aurait besoin d'aide pour les soins au bébé.

ÉTUDIANTS Il peut s'agir d'élèves sages-femmes ou infirmières, d'étudiants en médecine ou d'internes en gynécologie.

9e mois

souvent ridés, avec des parties génitales et des seins gonflés, un enduit blanchâtre (le vernix), un duvet fin sur le dos et la tête (le lanugo), des yeux bouffis, des écorchures, des petits boutons et autres petites imperfections cutanées. Mais ne vous inquiétez pas : votre bébé sera malgré tout magnifique à sa façon et il ressemblera davantage au « bébé Cadum » d'ici quelques semaines.

« Qu'est-ce que le score d'Apgar ? »

Il permet d'évaluer l'état du nouveau-né dans les minutes qui suivent la naissance (à 1 minute, 5 minutes, 10 minutes), selon cinq paramètres : le rythme cardiaque, le tonus musculaire, les réponses aux stimulations, la coloration de la peau (elle est bleutée en cas de cyanose) et les capacités respiratoires. Une note de 0 à 2 (2 étant le meilleur score) est attribuée à chaque paramètre, et l'ensemble des notes est additionné. Un score supérieur à 7 est synonyme de bonne santé. Un score de 4-5 à 7 signifie que le bébé a besoin de soins particuliers – ou qu'il lui faut juste un peu de temps pour s'adapter. En dessous de 4-5, des soins d'urgence sont entrepris. Ce test ne vise pas à évaluer son futur état de santé, ni son intelligence ou le comportement qu'il aura plus tard. S'il y a le moindre problème, le médecin vous en informera.

« Que va-t-il se passer pour mon bébé dans les heures qui suivent sa naissance ? »

La procédure dépend des maternités et des médecins, mais les grandes lignes sont en général les mêmes. Une fois le bébé né, l'obstétricien clampe et coupe le cordon ombilical (ou il laisse le papa le faire). C'est à cet instant que vous pourrez tenir votre bébé pour la première fois contre vous, sur votre ventre. Ensuite, la sage-femme l'emmène pour évaluer le score d'Apgar, désencombrer ses voies respiratoires, le nettoyer, le peser et le mesurer. Elle lui passe un bracelet d'identification autour du poignet, lui met des gouttes pour désinfecter ses yeux et l'habille chaudement. On vous le redonnera ensuite pour que vous puissiez lui faire des câlins et, éventuellement, commencer à le mettre au sein (tous les bébés n'ont pas envie de prendre le sein tout de suite). Le jour même ou le lendemain, le pédiatre procédera à un examen complet du nouveau-né, examen qui sera renouvelé le 8e jour. On lui donnera de la vitamine K (pour éviter les risques d'hémorragie) et sans doute de la vitamine D. Un prélèvement au talon de quelques gouttes de sang sera réalisé dans les premiers jours pour dépister des maladies génétiques rares nécessitant une prise en charge immédiate, comme la phénylcétonurie ou l'hypothyroïdie congénitale.

« Combien de temps vais-je rester à la maternité ? »

Si vous avez accouché par voie basse et que tout s'est bien passé, vous avez des chances de pouvoir rentrer chez vous au bout de 3 à 5 jours. En cas de complications ou bien si vous avez accouché par césarienne, vous serez hospitalisée un peu plus longtemps, 5 à 7 jours environ. Ne soyez pas trop impatiente de rentrer, surtout si votre chambre est confortable et que le service de puériculture est agréable : profitez-en pour vous reposer et bénéficier des conseils qu'on pourra vous prodiguer, notamment pour l'allaitement et les soins au bébé.

« Comment nettoyer et soulager la région périnéale après un accouchement ? »

Vous aurez besoin de différents accessoires, surtout si vous avez subi une épisiotomie ou une déchirure du périnée. Préparez-les si possible avant le départ à la maternité.

Une petite bouteille
Remplie d'eau tiède, une bouteille en plastique souple à embout perforé est pratique pour nettoyer la région génitale après chaque passage aux toilettes.

Des garnitures
Les pertes sont abondantes après la naissance. Des serviettes hygiéniques super absorbantes sont donc nécessaires.

Une bouée Il n'est pas toujours facile de s'asseoir dans les jours qui suivent l'accouchement. Un coussin en forme de bouée vous aidera à vous installer confortablement.

Un spray antidouleur
Certains médecins prescrivent des antalgiques locaux sous forme de crème ou de spray pour calmer la douleur due à une déchirure ou une épisiotomie.

Des compresses ou disques L'application d'une compresse humide glacée, éventuellement humectée d'un peu d'hamamélis, peut soulager les douleurs périnéales.

Un bain de siège Un bain de siège chaud (dans une cuvette ou une bassine spécifique achetée en pharmacie) contribue à réduire l'inconfort et la douleur de la cicatrice.

Des culottes jetables
Elles ne sont pas très jolies, mais elles maintiennent bien la garniture en place.

Une alèze Placez-la sous vos draps pour éviter de tacher le matelas (les pertes sont importantes après l'accouchement).

Mais aussi...

DES ANTALGIQUES Le médecin peut vous en prescrire (compatibles avec l'allaitement)

pour soulager les douleurs.
UN DÉSINFECTANT À appliquer sur la plaie pour éviter une

infection et favoriser la cicatrisation.
UN SÈCHE-CHEVEUX Il peut être utile pour bien sécher la

zone périnéale après la toilette.
UNE POCHE DE GLACE Si la douleur est intense.

9ᵉ mois

Chapitre 10

dixième

Et maintenant, je fais comment ?

mois

Voilà, c'est fait ! La grossesse, l'accouchement, c'est terminé! En fait, les choses ne font véritablement que commencer. Vous devez maintenant réaliser ce qu'être mère signifie : les repas, le bain, les couches et… le sommeil ! Pas de panique, vous allez très bien vous en sortir. Et vous finirez par savoir mieux que quiconque ce que vous devez faire. Et si l'adaptation à cette nouvelle vie n'est pas une évidence pour vous, ne vous inquiétez pas – certaines jeunes mamans ont un peu plus de mal que d'autres. Ces premières semaines doivent être un moment de repos, de récupération et de découverte – avec le papa, vous allez devoir apprendre à organiser votre nouvelle vie à trois !

Pense-bête

- Prendre rendez-vous chez le gynécologue pour la visite postnatale.

- Programmer la première visite chez le pédiatre.

- Prévoir les séances de rééducation du périnée.

mot à maux...

Tout ce sang... ça fait peur !

IL EST SI PETIT !

J'ai mal partout !

JE NE PEUX PAS M'EMPÊCHER DE PLEURER.

Vais-je savoir m'occuper de cet être minuscule ?

C'est bien beau l'allaitement... mais j'espère que mes tétons vont vite s'y faire !

Je suis débordée !

Dur dur, la montée de lait !

LES GENS CONTINUENT À ME DEMANDER SI C'EST POUR BIENTÔT. MERCI DE ME RAPPELER QUE J'AI ENCORE UN GROS VENTRE...

JE NE RESSEMBLE À RIEN !

L'idée d'aller à la selle me donne des sueurs froides !

Vos questions...

▌ Le B.A.-BA des soins

« Quand dois-je prendre le premier rendez-vous chez le pédiatre ? »

Le nourrisson doit être examiné vers le 8e jour, puis chaque mois durant les six premiers mois, puis à 9 mois et à 12 mois.

« Comment soigner la plaie du cordon ombilical ? »

Demandez conseil à votre pédiatre car tous les médecins ne sont pas d'accord sur les soins à appliquer au cordon. Certains recommandent de simplement attendre que le cordon se dessèche et tombe de lui-même en laissant la plaie cicatriser toute seule (sans rien mettre dessus). D'autres conseillent de tamponner la plaie avec un coton imbibé d'alcool au moment de la toilette ou du change pour la faire sécher et accélérer la cicatrisation – qui se fait en une quinzaine de jours alors qu'il faut environ un mois quand on ne fait rien. L'intérêt d'une cicatrisation plus rapide, c'est qu'elle permet de baigner le bébé plus tôt (d'ici là, vous devrez le laver au gant).

« J'ai un garçon. Comment être certaine que j'ai bien nettoyé son pénis ? »

Ne vous inquiétez pas. La toilette d'un petit garçon n'est pas si compliquée. Il suffit juste de savoir esquiver le jet quand vous le changez ! Si le bébé a été circoncis, il faut nettoyer la zone deux ou trois fois par jour à l'eau tiède (pas de savon) et appliquer un lubrifiant quand vous changez sa couche (votre pédiatre vous en conseillera un si on ne vous en a pas donné à la maternité). Vérifiez qu'aucun signe d'infection (fièvre, œdème, rougeur, écoulement malodorant ou pus, chaleur au toucher) n'apparaît. Néanmoins, il est normal que la zone soit un peu rouge et que des croûtes jaunes se forment. Tout cela disparaît au bout de 7 à 10 jours. Une fois que le pénis est guéri, faites la toilette de votre bébé normalement (nettoyez-le avec une lingette au moment du change et avec de l'eau savonneuse au moment du bain). Si votre bébé a toujours son prépuce, pas la peine de nettoyer sous la peau (n'essayez surtout pas de tirer la peau avant qu'elle ne soit séparée de l'extrémité du pénis, ce qui se produit en général vers l'âge de 5 ans). Lavez-le en surface à l'eau tiède avec un savon doux, comme pour le reste du corps. Et ne vous affolez pas si vous découvrez des sortes de grumeaux blanc nacrés sous le prépuce. Il s'agit simplement de peaux mortes qui se détachent quand le prépuce se décolle.

« Quelle est la bonne méthode pour lui faire faire son rot ? »

En rotant, le bébé expulse l'air qu'il a avalé en prenant le sein ou son biberon. Le rot l'aide aussi à éliminer les crachats et les gaz. Faites-lui faire un rot quand vous le changez de sein ou une fois qu'il a bu 60 à 90 ml. Il y a plusieurs façons de procéder.

- Tenez-le à la verticale contre votre poitrine, le menton appuyé sur votre épaule. Soutenez-le d'une main et caressez-lui ou frottez-lui le dos de l'autre.
- Posez votre bébé à plat ventre sur vos genoux, la tête légèrement surélevée, et tapotez-lui le dos.
- Mettez-le dos contre vous et penchez-le légèrement en avant en lui soutenant la tête et la poitrine d'une main. Dès qu'il est capable de tenir sa tête, tenez-le dos contre vous et appuyez doucement sur son ventre en marchant.

10e mois

▌ Vos préoccupations

« J'aimerais bien que quelqu'un me prenne mon bébé quelques heures par jour pour pouvoir dormir. Suis-je une mauvaise mère ? »

Non, c'est parfaitement normal. Votre fatigue n'a rien à voir avec votre amour pour votre enfant ou vos capacités maternelles. Si vous avez besoin de vous reposer, n'ayez pas de scrupules. Faites-vous aider : demandez à votre mari, votre mère ou belle-mère, une amie… de s'occuper de votre bébé entre deux tétées ou le temps d'un après-midi. Vous pouvez aussi demander à quelqu'un de vous faire les courses, de préparer les repas ou de nettoyer la maison. N'hésitez surtout pas à accepter l'aide qu'on vous propose. Vous l'avez bien mérité !

« Qu'est-ce que la dépression du post-partum ? »

La dépression du post-partum est une forme de dépression sérieuse, qui se traduit par une grande tristesse ou de l'irritabilité dans les mois qui suivent la naissance d'un enfant. La maman est extrêmement triste, désespérée, désemparée, nerveuse, épuisée. Elle peut pleurer sans raison, ne plus avoir d'appétit ou être apathique. Il arrive qu'elle ne puisse plus prendre soin d'elle et/ou de son bébé. Certaines femmes se sentent mieux au bout de quelques semaines, d'autres souffrent pendant plusieurs mois. Si vous pensez que vous souffrez de dépression, parlez-en à votre médecin et faites-vous soigner. Heureusement, cette forme de dépression est habituellement facile à traiter. Mais il est impératif de vous faire aider. Si vous vous sentez abattue, isolée ou émotionnellement fragile dans les jours qui suivent la naissance, cela ne signifie pas pour autant que vous faites une dépression du postpartum. De nombreuses mamans souffrent de ce que l'on appelle le baby-blues. C'est parfaitement normal de se sentir triste ou submergée au début et de pleurer un bon coup de temps en temps. Encore une fois, prenez soin de vous – dormez, mangez et demandez de l'aide quand vous en avez besoin. Le baby-blues ne dure généralement que quelques jours ou semaines. Si cela ne passe pas ou que les symptômes s'aggravent, consultez votre médecin.

« J'ai toujours l'air d'être enceinte de 5 mois. Cela va durer longtemps ? »

Laissez votre corps faire une pause – il vient de subir toutes sortes d'épreuves et il lui faut du temps pour récupérer. Ne vous découragez pas : ce qu'il reste de votre ventre rebondi devrait disparaître (au moins partiellement) en quelques semaines, le temps que votre utérus reprenne sa taille normale. Et s'il vous reste quelques bourrelets, reprenez une activité physique dès que votre gynécologue vous y autorisera, mangez équilibré et vous verrez rapidement le résultat. Mais dites-vous bien que votre corps a subi 9 mois de transformations. Il vous faudra peut-être autant de temps pour retrouver votre ligne d'avant.

▌ Est-ce normal ?

« J'ai entendu dire que la couleur des yeux des bébés pouvait changer. »

Vous avez raison. La couleur des yeux des bébés peut changer après la naissance. Certains médecins disent qu'il faut attendre 4 à 6 mois pour qu'ils prennent leur couleur définitive, mais ils peuvent aussi changer plus tard – et même au-delà d'un an.

« Comment emmailloter correctement un bébé ? »

Cette pratique ancestrale refait son apparition en France. Si cela vous intéresse, demandez éventuellement à la sage-femme de vous faire une démonstration avant de quitter la maternité. Sachez aussi qu'il est préférable d'emmailloter le bébé uniquement pour la nuit.

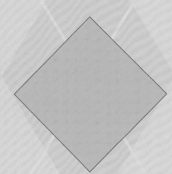

ÉTAPE 1 Étalez une couverture légère de manière à former un losange. Imaginez qu'il s'agit d'un cadran d'horloge.

ÉTAPE 2 Repliez le coin du haut (12 h) d'une dizaine de centimètres. Placez la tête du bébé au ras du pli, les pieds indiquant 6 h.

ÉTAPE 3 Attrapez le coin droit (3 h) et rabattez-le sur le bras droit et la poitrine. Passez-le derrière son dos, jusque sous le bras gauche.

ÉTAPE 4 Attrapez le coin du bas (6 h) et rabattez-le par-dessus les pieds. Rentrez-le sous le menton du bébé.

ÉTAPE 5 Rabattez le dernier coin (9 h) sur le corps et sous le dos. N'ayez pas peur de serrer un peu, mais pas trop (les jambes doivent rester mobiles).

10e mois

« Qu'est-ce que les premières selles ont de particulier ? »

Les premières selles gluantes et verdâtres de votre bébé sont appelées méconium. Cette matière est constituée de tout ce que le fœtus avalait dans l'utérus (liquide amniotique, lanugo, bile, mucus, peaux mortes). Une fois que le transit a démarré, les selles deviennent jaune moutarde si vous allaitez. Vous aurez l'impression qu'elles contiennent des graines. Ces selles ne sont pas très odorantes. Le lait maternel étant digéré rapidement, le bébé peut émettre une selle après chaque tétée au début. Si vous lui donnez le biberon, ses selles peuvent être jaunes, marron ou vertes, et elles sentent un peu plus fort. Si les selles de votre bébé sont dures et ressemblent à des petits cailloux, si elles sont rouges (elles sont peut-être colorées par du sang), noires (il a peut-être avalé du sang) ou blanches (symptôme d'un problème hépatique), appelez le pédiatre. Toute autre couleur ne doit pas vous inquiéter.

« Mon bébé a deux jours et il perd du poids ! Que dois-je faire ? »

Un nouveau-né peut perdre jusqu'à 10 % de son poids de naissance la première semaine de vie. S'il mange régulièrement, urine et a des selles, tout va bien. En règle générale, les bébés récupèrent leur poids de naissance en une quinzaine de jours.

« Je suis épuisée et j'ai mal un peu partout. Comment cela se fait-il ? »

L'accouchement n'est pas une partie de plaisir. Votre corps a traversé une épreuve et il est parfaitement normal d'en ressentir (et d'en voir) les conséquences. Vos muscles ont été très sollicités, ce qui explique sans doute que vous ayez mal un peu partout. Quant à l'épuisement, quoi de plus logique si vous ajoutez à l'accouchement les multiples réveils nocturnes pour alimenter votre bébé ! Reposez-vous le plus possible et parlez de vos symptômes à votre gynécologue ou à votre généraliste.

« Est-ce normal de perdre autant de sang ? Quand cela va-t-il s'arrêter ? »

Il est normal de beaucoup saigner dans les jours (et les semaines) qui suivent l'accouchement. Mais vous ne perdez pas que du sang. Ces pertes, appelées lochies, contiennent des débris de la muqueuse utérine. Le flot est souvent plus important que celui des règles, et peut s'intensifier lorsque vous donnez le sein. Au bout de trois semaines environ, les pertes prennent une teinte rosée, puis brune et enfin jaune pâle ou blanche. Consultez immédiatement votre gynécologue si vos pertes deviennent malodorantes, redeviennent rouge vif après avoir été roses ou brunes, ou si vous perdez un caillot de sang plus gros qu'une balle de golf (ce sont les symptômes d'une hémorragie).

« Je transpire beaucoup la nuit. »

Votre corps se débarrasse sans doute de toute l'eau qu'il a stockée. Les hormones jouent probablement aussi un rôle, notamment du fait de la chute brutale du taux d'œstrogènes juste après l'accouchement. Le phénomène devrait s'atténuer d'ici quelques semaines – un peu plus si vous allaitez. Même si cela peut sembler contradictoire, buvez beaucoup.

Checklist

« De quoi ai-je besoin pour les soins de mon bébé ? »

Les articles de base ne sont pas si nombreux. Vous les trouverez dans les boutiques spécialisées, les rayons de puériculture des grandes surfaces, en pharmacie ou en parapharmacie.

Ce qu'il vous faut

○ **CISEAUX OU COUPE-ONGLES POUR BÉBÉS** Les ongles des bébés poussent à une vitesse folle. Choisissez un modèle spécialement conçu pour les nourrissons pour éviter de leur couper la peau par mégarde.

○ **MOUCHE-BÉBÉ** Il en existe différents types. Ils permettent d'aspirer les mucosités quand le bébé a le nez bouché.

○ **SÉRUM PHYSIOLOGIQUE** Il permet de nettoyer le visage du bébé quand il est souillé par des croûtes de mucus séché, ou d'aider à moucher le nez.

○ **COTON-TIGE ET DISQUES DE COTON** Humectez-les pour lui nettoyer les yeux.

○ **POMMADE À L'OXYDE DE ZINC** Pour protéger les fesses du bébé et éviter l'érythème fessier, mais aussi pour soulager toutes sortes d'irritations cutanées sans gravité (peau et lèvres sèches, par exemple).

○ **PEIGNE/BROSSE SOUPLE** Utile naturellement si votre bébé a des cheveux ou pour enlever délicatement des croûtes de lait.

○ **THERMOMÈTRE** En général, on recommande plutôt un thermomètre rectal à affichage numérique (température interne), mais un thermomètre auriculaire ou frontal peut être pratique (demandez conseil à votre pédiatre et lisez bien la notice). Utilisez de la vaseline pour lubrifier le bout du thermomètre rectal et nettoyez-le à l'alcool.

○ **PARACÉTAMOL** Votre pédiatre vous en prescrira certainement (en doses adaptées) en vous précisant la posologie en cas de fièvre. Cependant, si votre bébé a de la fièvre, consultez obligatoirement votre pédiatre.

○ **GEL DENTAIRE** Utile en cas de douleurs de poussées dentaires.

○ **SOLUTION DE RÉHYDRATATION** À donner au nourrisson s'il souffre de diarrhée (en attendant de voir le pédiatre).

10ᵉ mois

▌ Allaiter son bébé

« Si je ne souhaite pas allaiter, comment éviter la montée de lait ? »

Si vous ne donnez pas le sein, votre corps va cesser de produire du lait (c'est aussi simple que ça). Mais vous passerez obligatoirement par la phase de montée de lait (vous serez encore à la maternité). Vous souffrirez sans doute un peu, mais cela ne devrait pas durer plus d'un jour ou deux. Pour supporter cette période, certaines mamans portent des soutiens-gorge de sport comprimant un peu les seins. Les packs de glace et les antalgiques peuvent également soulager. Une fois que vos seins auront dégonflé, il se peut qu'un peu de lait continue à s'écouler pendant quelques jours.

« J'ai l'impression que rien ne sort de mes seins quand mon bébé de 2 jours tète. Est-ce que je dois compléter avec des biberons de lait infantile ? »

Non, surtout pas. Si votre bébé prend régulièrement le sein (toutes les 2 à 3 heures), il ingurgite tout le colostrum que vous secrétez juste après l'accouchement (même si vous ne le voyez pas). Il n'a besoin que de l'équivalent d'une cuillère à café à chaque fois. Ne vous inquiétez pas, le lait coulera à flots d'ici peu. Ne vous arrêtez pas maintenant – en mettant votre bébé au sein, vous stimulez la montée de lait.

« J'ai des contractions quand je donne le sein – est-ce normal ? »

Quand votre bébé tète, votre corps produit de l'ocytocine. Cette hormone (utilisée sous forme synthétique pour déclencher le travail) provoque des contractions utérines. En se contractant ainsi, votre utérus est en train de reprendre sa taille initiale (en appuyant

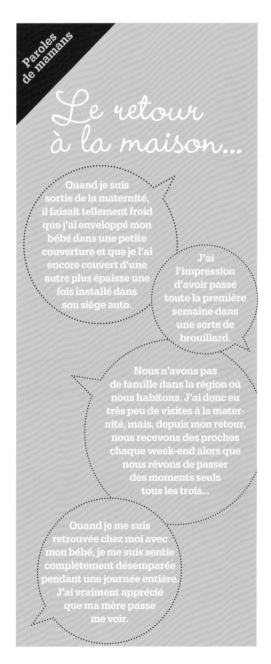

Paroles de mamans

Le retour à la maison...

Quand je suis sortie de la maternité, il faisait tellement froid que j'ai enveloppé mon bébé dans une petite couverture et que je l'ai encore couvert d'une autre plus épaisse une fois installé dans son siège auto.

J'ai l'impression d'avoir passé toute la première semaine dans une sorte de brouillard.

Nous n'avons pas de famille dans la région où nous habitons. J'ai donc eu très peu de visites à la maternité, mais, depuis mon retour, nous recevons des proches chaque week-end alors que nous rêvons de passer des moments seuls tous les trois...

Quand je me suis retrouvée chez moi avec mon bébé, je me suis sentie complètement désemparée pendant une journée entière. J'ai vraiment apprécié que ma mère passe me voir.

« Je vais lui donner son premier bain. De quoi ai-je besoin ? »

Le premier bain n'a rien de compliqué. Une fois que le cordon ombilical de votre bébé sera tombé, vous pourrez passer de la toilette au gant au vrai bain – dans une baignoire pour bébé ou dans vos bras dans la baignoire (faites-vous aider pour entrer dans la baignoire et en sortir, et utilisez un tapis antidérapant). Voici quelques conseils.

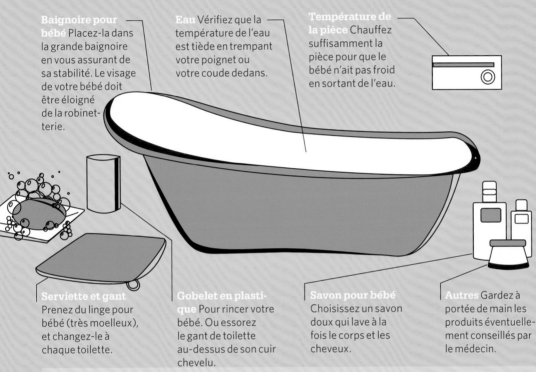

Baignoire pour bébé Placez-la dans la grande baignoire en vous assurant de sa stabilité. Le visage de votre bébé doit être éloigné de la robinet-terie.

Eau Vérifiez que la température de l'eau est tiède en trempant votre poignet ou votre coude dedans.

Température de la pièce Chauffez suffisamment la pièce pour que le bébé n'ait pas froid en sortant de l'eau.

Serviette et gant Prenez du linge pour bébé (très moelleux), et changez-le à chaque toilette.

Gobelet en plastique Pour rincer votre bébé. Ou essorez le gant de toilette au-dessus de son cuir chevelu.

Savon pour bébé Choisissez un savon doux qui lave à la fois le corps et les cheveux.

Autres Gardez à portée de main les produits éventuelle-ment conseillés par le médecin.

La meilleure façon de procéder

Commencez par faire tremper votre bébé dans l'eau. Tenez-le en permanence car il risque de glisser. Commencez par le haut du corps. Lavez d'abord le visage, en net-toyant une petite zone à la fois. En descendant le long du corps, pensez à bien nettoyer tous les plis (aisselles, cou, parties géni-tales). Gardez la partie la plus sale (les fesses) pour la fin. Ensuite, remontez vers la tête et lavez-lui les cheveux. Dans la mesure où un nourrisson perd essentiellement de la chaleur par la tête, c'est toujours par là que vous devez finir. Si l'eau est encore chaude, prenez le temps de jouer un peu, mais pas trop longtemps.

10ᵉ mois

doucement sur votre ventre, vous pouvez même le sentir). Ces sensations peuvent être désagréables, mais elles devraient disparaître en une semaine environ (si elles persistent, parlez-en à votre gynécologue pour être certaine qu'il n'y a pas de problème particulier).

« Mes seins sont devenus énormes et ils me font vraiment mal ! Que dois-je faire ? »

Les seins gonflés, durs et tendus sont le signe de la montée de lait : ils sont remplis du lait que votre corps produit. Cela n'a rien de drôle, mais, dans les 24 à 48 heures qui suivent, la lactation va se régulariser, se faire de manière constante et vos seins seront moins tendus. En attendant, vous pouvez vous soulager en donnant le sein (et pas en tirant le lait) toutes les 2 à 3 heures, même s'il faut pour cela réveiller votre bébé. Si vos seins sont tellement durs que le bébé a du mal à attraper les mamelons, faites d'abord sortir un peu de lait (en appuyant dessus ou à l'aide d'un tire-lait) pour les assouplir. Pendant que le bébé tète, massez doucement votre sein pour aider le lait à sortir, et laissez-le sur le même sein jusqu'à ce que vous sentiez que celui-ci est moins tendu. Si vous continuez à avoir mal, testez les poches de glace pour vous soulager. Ne sautez pas de tétée : ne pas donner le sein risque de faire baisser de façon définitive votre production de lait.

> Pendant la montée de lait, j'ai mis des petites poches de glace dans mon soutien-gorge d'allaitement. Ce n'était pas très beau, mais cela m'a vraiment soulagée !

« J'ai en permanence des fuites de lait. »

Pendant les premières semaines d'allaitement, il est normal que les seins fuient, ce qui est un peu gênant : le lait gicle ou s'écoule goutte-à-goutte en dehors des tétées. La meilleure solution consiste à se protéger avec des coussinets ou des coques d'allaitement et d'attendre. Une fois l'allaitement mis en route, votre corps ne produira pas plus que ce dont votre bébé a besoin et vous aurez moins de fuites.

▮ Au quotidien

« J'ai des fuites urinaires. »

Lors de votre visite postnatale chez le gynécologue, celui-ci examinera l'état de votre périnée et vous prescrira très certainement des séances de rééducation périnéale chez un kinésithérapeute. Ces séances, ainsi que les exercices de Kegel (voir page 94) devraient résoudre votre problème de fuite. Ne les négligez pas car la tonicité périnéale est également essentielle pour éviter que cette forme d'incontinence ne réapparaissent avec l'âge.

« Est-ce que je vais rester constipée encore longtemps ? »

Si vous venez tout juste d'accoucher, il est normal d'attendre un, deux ou trois jours avant que le transit intestinal reprenne car vos muscles abdominaux se sont relâchés, vous avez mal et vous appréhendez d'aller à la selle. Et honnêtement, cela peut effectivement faire mal. Ne craignez pas que les points de suture (en cas d'épisiotomie ou de déchirure) sautent : il n'y a aucun risque. Vous aurez peut-être

Les soins du nouveau-né

Toilette du cordon ombilical

Quand vous changez votre bébé, nettoyez le moignon (ce qui reste du cordon) avec une lingette imbibée d'alcool (demandez d'abord conseil à votre médecin ; il est parfois préférable de ne rien faire). Le moignon tombe normalement au bout de quelques semaines. Appelez votre médecin si la zone devient rouge, chaude ou qu'elle enfle, ou encore si le moignon n'est pas tombé au bout de 4 à 6 semaines.

Coupe des ongles

Votre bébé doit garder les ongles courts pour ne pas se griffer le visage ou les yeux. La meilleure façon de les couper, c'est d'utiliser une paire de ciseaux ou, mieux, un coupe-ongles pour bébé et de les lui couper pendant qu'il dort.

Nettoyage des oreilles

N'enfoncez jamais rien (y compris des Cotons-tiges) dans le conduit auditif de votre bébé, même si vous apercevez de la cire à l'intérieur. Elle finira par s'évacuer d'elle-même.

Bain

Vous n'êtes pas obligée de lui donner un bain chaque jour : une « toilette de chat » au gant est souvent suffisante. Un nourrisson se salit très peu (sauf si ses selles débordent de la couche ou s'il régurgite). Tant que le moignon du cordon ombilical n'est pas tombé, ne trempez pas son ventre dans l'eau.

Change

Pour éviter l'apparition d'un érythème fessier, changez la couche de votre bébé le plus souvent possible et appliquez une crème protectrice. Si vous avez une fille, nettoyez-la de l'avant vers l'arrière pour éviter les infections urinaires.

une sensation un peu désagréable au début, surtout si vous avez des hémorroïdes, mais c'est tout. Pour faciliter les choses, mangez des aliments riches en fibres, buvez beaucoup, marchez pour activer la circulation sanguine… et prenez éventuellement un laxatif doux.

« Combien de temps la cicatrice de ma césarienne va-t-elle me faire mal ? »

Il va falloir attendre entre 4 et 6 semaines pour que la cicatrisation soit complète. Dans la mesure où la constipation peut aggraver la douleur, buvez beaucoup, levez-vous et marchez dès que vous le pouvez et consommez des aliments qui contiennent beaucoup de fibres. Adoptez également une position correcte et tenez-vous le ventre quand vous toussez, éternuez ou riez. Si vous êtes gênée pour allaiter, utilisez un petit coussin pour que le bébé n'appuie pas sur votre abdomen. Appelez votre gynécologue ou votre médecin si vous avez plus de 38 °C de fièvre, si vous commencez à avoir beaucoup plus mal ou si votre cicatrice rougit, gonfle ou suinte (vous avez peut-être une infection).

« Combien de temps vais-je encore avoir mal au périnée ? »

La plupart des mamans se sentent beaucoup mieux au bout 6 semaines (parfois plus, parfois moins) après l'accouchement. Si vous avez eu une déchirure ou une épisiotomie, il est indispensable que la plaie reste propre et sèche pour cicatriser rapidement. Changez souvent votre protection hygiénique, essuyez-vous toujours d'avant en arrière et lavez-vous les mains à chaque fois que vous changez de protection ou que vous allez aux toilettes. C'est le meilleur moyen pour éviter que les bactéries présentes dans vos selles pénètrent dans votre vagin ou votre vessie. Si vous avez mal quand vous urinez ou que vous vous essuyez, utilisez un vaporisateur rempli d'eau chaude à la place du papier hygiénique et tamponnez ensuite la zone avec une compresse. D'autres moyens permettent aussi de soulager la douleur : les compresses imbibées d'eau d'hamamélis (recouvrez-en votre protection hygiénique), les sprays anesthésiants (demandez conseil à votre gynécologue) ou même les bains de siège. Et n'oubliez pas vos exercices de rééducation périnéale. Si vous avez eu des points, ne soyez pas étonnée si la douleur se transforme en démangeaisons quand le périnée cicatrise.

« J'ai mal quand je m'assois et je ne peux pas rester très longtemps debout. »

Achetez un petit oreiller gonflable en forme de bouée (dans une pharmacie, une parapharmacie ou une boutique de matériel médical). Vous ne sentirez plus rien en vous asseyant dessus.

« Quand pourrai-je de nouveau avoir des rapports sexuels ? »

Votre gynécologue vous en parlera durant la visite postnatale ; en général, il faut attendre environ 6 semaines après l'accouchement. Il est notamment préférable de ne plus saigner et que les points de suture soient résorbés. Il faut du temps pour que l'utérus revienne à son état initial, même en cas de césarienne. Les premiers rapports doivent se faire en douceur car ils seront vraisemblablement un peu douloureux, quelle que soit la façon dont vous avez accouché.

Le sac à langer

Taille Réfléchissez à ce dont vous avez besoin. Allez-vous aussi porter un sac à main normal ? Sachez que plus il sera grand, plus vous le remplirez.

Bandoulière Réglable, elle évite au sac de glisser. Ce système est pratique si vous n'êtes pas la seule à utiliser le sac.

Fermeture L'idéal est la fermeture éclair. Évitez les velcros car le bruit qu'ils font quand on les détache peut réveiller un bébé qui dort.

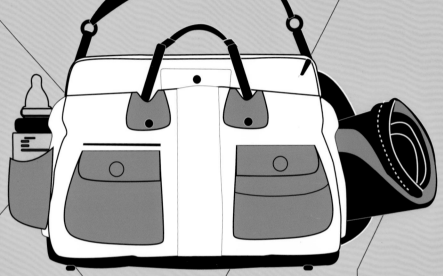

Poches de côté Les poches extérieures sont très pratiques pour trouver rapidement une tétine, un biberon, un téléphone portable.

Fond Il est préférable que le fond soit rigide pour pouvoir fouiller plus facilement dedans.

Couleur S'il doit être porté par plusieurs personnes, choisissez une couleur neutre, qui plaise à tout le monde.

Tapis de change Il doit être assez grand pour que le bébé tienne dessus, même après quelques mois.

Le contenu

- Couches (une toutes les deux heures environ, quelques-unes en plus)
- Tapis de change
- Lingettes
- Crème protectrice
- Bavoirs
- Tétine
- Biberons, lait infantile, eau minérale
- Couverture de bébé, surpyjama
- Tenue de rechange
- Chapeau
- Sacs en plastique pour jeter les couches

Votre pense-bête au fil des mois

Ce tableau récapitule tout ce que vous ne devez pas oublier,
de la première semaine de grossesse à l'accouchement.

Semaine 1 à 8

- Appeler le gynécologue avant la première vraie visite prénatale.
- Prendre des suppléments d'acide folique (vitamine B9).

Semaine 8 à 12

- Aller à la première consultation prénatale.
- Faire les examens de sang prescrits.
- Programmer la première échographie.
- Prendre rendez-vous pour une biopsie de trophoblaste si vous devez subir cet examen.
- Envoyer les volets de la déclaration de grossesse à vos Caisses d'Assurance Maladie et d'Allocations familiale (avant la 14e semaine).
- Inscrire votre bébé dans une crèche si vous avez choisi ce mode de garde.

Semaine 12 à 16

- Faire le dosage des marqueurs sériques.
- Programmer une amniocentèse si vous devez subir cet examen.

Semaine 16 à 20

- Programmer l'échographie du deuxième trimestre.
- Acheter des vêtements de grossesse.

Semaine 20 à 24

- Penser à l'aménagement de la chambre du bébé.
- S'inscrire dans une maternité.

Semaine 24 à 28

- Faire le dépistage du diabète et de l'hépatite B.
- Commencer à s'occuper du mode de garde.

Semaine 28 à 32

- Discuter avec le gynécologue des différentes étapes de l'accouchement.
- Programmer les cours de préparation à l'accouchement.
- Avertir votre employeur des dates de votre congé maternité.
- Surveiller les mouvements du bébé.

Semaine 32 à 36

- Acheter les articles de puériculture, les vêtements de bébé et tout ce dont vous avez besoin pour la maternité et la maison.
- Finir de préparer la chambre du bébé.
- Suivre les cours de préparation à l'accouchement.
- Visiter la maternité.
- Préparer votre valise et celle du bébé.
- Trouver un pédiatre.
- Faire la dernière échographie.
- Voir l'anesthésiste de la maternité et faire les examens demandés.
- Envoyer l'attestation d'arrêt de travail à la Sécurité sociale.
- Faire le test de dépistage du streptocoque B.
- Faire une radiographie du bassin si le gynécologue l'a prescrite.

Semaine 36 jusqu'à l'accouchement

- Prévoir un mode de transport jusqu'à la maternité.
- Organiser la garde de vos autres enfants (le cas échéant).
- Voir le gynécologue si vous avez dépassé le terme pour des examens de surveillance du bien-être fœtal.

Le budget bébé

Cette liste reprend les principaux achats que vous aurez sans doute à faire la première année. Inscrivez une estimation en face de chaque article pour avoir une idée approximative de la dépense globale.

Dépenses fixes

- ○ Décoration/aménagement de la chambre : _____
- ○ Lit de bébé et matelas : _____
- ○ Housses de matelas : _____
- ○ Commode : _____
- ○ Table à langer : _____
- ○ Écoute-bébé (baby phone) : _____
- ○ Parc : _____
- ○ Transat : _____
- ○ Trotteur : _____
- ○ Barrière de sécurité : _____
- ○ Baignoire pour bébé : _____
- ○ Chaise haute : _____
- ○ Biberons : _____
- ○ Tire-lait : _____
- ○ Soutiens-gorge d'allaitement : _____
- ○ Poussette : _____
- ○ Porte-bébé ou écharpe de portage : _____
- ○ Siège auto : _____
- ○ Sac à langer : _____

Dépenses mensuelles

- ○ Couches : _____
- ○ Lait infantile et aliments : _____
- ○ Vêtements : _____
- ○ Jouets : _____
- ○ Frais de garde : _____
- ○ Frais médicaux : _____
- ○ Épargne pour l'éducation et les études : _____ _____

Journal des tétées

😊 **Nom du bébé :** _____ **Date :** ___ / ___ / ___

Tétées

Heure	Sein		Durée de la tétée	Comportement du bébé
	Gauche	Droit		
:				
:				
:				
:				
:				
:				
:				
:				
:				
:				
:				
:				
:				
:				

Changes

Entourez une couche par change sur la journée.

Pipi										
Selle										
Heure	:	:	:	:	:	:	:	:	:	:

Journal des biberons

Nom du bébé : _____   Date : _____ / _____ / _____

Biberons

Heure	Quantité	Comportement du bébé
:	ml	
:	ml	
:	ml	
:	ml	
:	ml	
:	ml	
:	ml	
:	ml	
:	ml	
:	ml	
:	ml	
:	ml	
	Total ml	

Changes
Entourez une couche par change sur la journée.

Pipi ....

Selle ....

Heure   :   :   :   :   :   :   :   :   :   :
....

Journal du sommeil

Tenez le décompte des moments de sommeil de votre bébé. Notez le mois et remplissez chaque jour les cases correspondant aux heures où il dort.

Mois : _____

Heure	0 h	2 h	4 h	6 h	8 h	10 h	12 h	14 h	16 h	18 h	20 h	22 h	0 h
1 ___													
2 ___													
3 ___													
4 ___													
5 ___													
6 ___													
7 ___													
8 ___													
9 ___													
10 ___													
11 ___													
12 ___													
13 ___													
14 ___													
15 ___													
16 ___													
17 ___													
18 ___													
19 ___													
20 ___													
21 ___													
22 ___													
23 ___													
24 ___													
25 ___													
26 ___													
27 ___													
28 ___													
29 ___													
30 ___													
31 ___													

Date

Pour plus d'informations

Soins médicaux
Votre pédiatre n'est pas toujours joignable. En plus des numéros d'urgence (le 15 pour le samu), vous devez noter dans votre répertoire le numéro de SOS médecin (3624) et le numéro des urgences pédiatriques à domicile de votre région.

Assurance maladie
Sur le site de l'assurance maladie en ligne, vous trouverez des renseignements sur vos droits et sur les démarches à effectuer pendant la grossesse, ainsi que des adresses de médecins (gynécologues, obstétriciens, pédiatres...).
Vous pourrez aussi suivre vos remboursements en ligne.
ameli.fr/

Allocations familiales
Vous trouverez des informations sur les prestations auxquelles vous avez droit, ainsi que sur les modes et lieux de garde.
caf.fr et mon-enfant.fr

Vos droits et vos démarches
Le site de l'administration française comprend une rubrique « Famille » dans laquelle vous trouverez, entre autres, des informations sur :
- le suivi médical et social de la grossesse (déclaration de grossesse, carnet de santé, maternité, droit au remboursement des soins...) ;
- les droits des femmes enceintes au travail, l'indemnisation du congé maternité et du congé paternité ;
- les formalités à la naissance, le rôle du carnet de santé, les modes de garde ;
- les adresses des services de PMI (Protection maternelle infantile) qui organisent des consultations prénatales, peuvent intervenir à domicile après la naissance et s'occuper du suivi médical des enfants jusqu'à 6 ans.
service-public.fr

La mairie de votre ville
Vous y trouverez les adresses des crèches, haltes-garderies, assistantes maternelles et services de Protection maternelle infantile (PMI) situés à proximité de votre domicile.
Vous connaîtrez les démarches à entreprendre à la naissance de votre enfant (déclaration, choix du nom, autorité parentale, reconnaissance, droits professionnels), ainsi que des informations sur le suivi médical de l'enfant (vaccinations recommandées, par exemple).

Le Cesu (chèque emploi service universel)
Pour simplifier vos démarches administratives si vous souhaitez recruter une assistante maternelle ou une employée de maison.
cesu.urssaf.fr

Sécurité et premiers secours
Pour prévenir les accidents de la vie quotidienne et connaître les gestes d'urgence à pratiquer sur un nourrisson.
croix-rouge.fr, protegersonenfant.com et stopauxaccidentsquotidiens.fr

Bibliographie

Pr René Frydman, Christine Schilte, *Attendre bébé*, Hachette pratique, Paris, 2010
Pr René Frydman, *Médicaments et Grossesse*, Hachette Pratique, Paris, 2011
Pr René Frydman, *Environnement et Grossesse*, Hachette Pratique, 2011
Marie-Dominique Linder et Catherine Maupas, préface de Myriam Szejer, *L'Allaitement de mon enfant*, Hachette Pratique, 2011
Pr Marcel Rufo, Christine Schilte, *Élever bébé*, Hachette Pratique, 2010

Index

Remerciements

Je tiens à remercier du fond du cœur tous les gens qui m'ont aidé à réaliser cet ouvrage, parmi lesquels :
les très nombreuses visiteuses de TheBump.com qui ont posé toutes les questions qu'une future maman peut se poser et celles qui y ont répondu, ainsi que les jeunes mamans de tous les horizons qui nous apportent en permanence des idées et des conseils pratiques ;
Erin van Vuuren et Paula Kashtan, qui ont enquêté auprès des futures mamans ;

toute l'équipe de The Bump, sous la houlette de Rebecca Dolgin : Liza Aelion, Melissa Mariola, Kelly Crook, Dawn Camner, Vincent M. Spina, Kate Ward, Kaitlin Stanford, Ellie-Martin Cliffe et Jaimie Dalessio, que ni les maux de la grossesse ni les longues soirées passées à préparer cet ouvrage n'ont rebutés ;
mon ami et agent, Chris Tomasino ;
mon mari, cofondateur du site, mon partenaire, David Liu, et mes propres bébés, Havana, Cairo et Dublin.

Crédits

Spécialistes

American College of Obstetrics and Gynecologists

Judie Ashworth et Stefanie Weiner, responsables des relations publiques chez Destination Maternity

Shoshana Bennett, psychologue, spécialiste de la dépression du postpartum et auteur de *Postpartum Depression for Dummies*

Denise Gershwin, sage-femme

Melissa Gould et Ellie Miller, co-fondatrices de

Ellie & Melissa, The Baby Planners

Kathleen A. Hale, infirmière, cadre au Maine Medical Center

Corky Harvey et Wendy Haldeman, cofondateurs et propriétaires de The Pump Station & Nurtury

Conner Herman et Kira Ryan, cofondateurs de Dream Team Baby

Tricia Higgins, Community Manager chez Pampers

Maria Kammerer, sage-femme

Erika Lenkert, auteur de *The Real Deal Guide to Pregnancy*

Jennifer Loomis, photographe spécialisée dans les beaux-arts, la maternité et la famille

Tracy Mallet, spécialiste de fitness, auteur de *Super Fit Mama*

Dr Vicki Papadeas, pédiatre (La Guardia Place Pediatrics) à New York

Dr Paula Prezioso, pédiatre (Pediatric Associates) à New York

Dr Ashley Roman, spécialiste de médecine fœtale ; professeur assistant d'obstétrique et de gynécologie à la New York University School of Medicine

Sebastiaan Selders, Senior Product Manager chez Britax

Andi Silverman, auteur de *Mama Knows Breast : A Beginner's Guide to Breastfeeding*

Diane Truong, docteur en médecine, **JJ Levenstein,** docteur en médecine, co-fondateurs de MDMoms

Dr Georgia F. Wortham, docteur en médecine, obstétricien à Memphis

Paroles de mamans

Jennifer Beldon, Kristen Case, Jeanine Edwards, Lauren Flanagan, Heather Fleming, Judy Galani-Plasse, Allison Holt, Monica Locksmoe, Julia Lyson, Kari Merkel, Nicole Ragains, Lori Richmond, Alison Salat Bernstein, Lisa Shapiro Dotson, Laura Soloff et Nicole Wertzler.

Illustrations

LULU*/CWC International, Inc., Megan Rojas, Pig Pen Studio.

Crédits photographiques

Échographies avec l'aimable autorisation de GE HealthCare ; p. 13, 27, 43, 57, 71, 85, 101, 115 : Shutterstock ; p. 21, en partant du haut : Meike Bergmann/Jupiter Images, Klaus Arras/StockFood, Istock Photo, Veer, Photo Alto Photography/Veer, StockFood/Steven Morris Photography, Rita Maas/FoodPix/Getty Images, Food Collection/StockFood ; p. 23, 77, 37 : Antonis Achilleos ; p. 34 : Photo Op/StockFood ; p. 37, de haut en bas, de gauche à droite : Lew Robertson/Corbis, FoodCollection/StockFood (3), Judd Pilossof/StockFood, Shutterstock, FoodCollection/StockFood ; p. 38,93 : Davies+Starr ; p. 49 : Gazimal/Stone/Getty Images ; p. 65, de haut en bas, de gauche à droite : Sugar Stock Ltd/Alamy, Stockbyte/Getty Images, Dorling Kindersley/Getty Images, Veronique Leplat/Stockfood Creative/Getty Images, Zabert/Stockfood, Lannretonne/Stockfood, Douglas Johns/Stockfood Creative/Getty -Images, Klaus Arras/Stockfood, Laurie Vogt Photography Inc./Stockfood, Crystal Cartier/StockFood Creative/Getty Images, Veer (2), Nicholas Eveleigh/Iconica/Getty Images ; p. 78 : Mark Lund ; p. 89 : Ragnar Schmuck/Getty Images ; p. 105 : Siri Stafford/Digital Vision/Getty Images ; p.122, en partant de la gauche : Ellen Silverman, Deborah Jaffe ; p. 123, de gauche à droite : Mark Lund, Martin Poole/The Image Bank/Getty Images ; p. 125 : avec l'aimable autorisation de Learning Curve Brands Inc. ; p. 129 : Istock Photo ; p. 143 : Benjamin Cotton Photographic, Westchester Medical Center ; p. 163 : Veer.